四季の星空ガイド

沖縄の美_{ちゅ}ら星

宮 地 竹 史

辺戸岬（国頭村）から見た、あすむい（安須森、大石林山）の天の川は、「天孫降臨」の神話を彷彿させます

琉球プロジェクト

はじめに

　沖縄にはすばらしい「沖縄の美ら星」があります。沖縄に暮らして、沖縄を訪れて星空を眺（なが）めれば、そのすばらしさがわかります。

　南十字星や「ぱいがぶし」、カノープス、アケルナルなどは、日本最西南に位置する沖縄ならではの星々です。宮沢賢治も見たかった「銀河鉄道の夜」の星々、天の川に沿って北十字から南十字までのすべての星々が見られるのです。

　星はどこでも同じように見えるかも知れませんが、沖縄では星や星座に島々ならではの名前や呼び方があり、その由来や伝承、民話が語り継がれており、歌や踊りとしても伝承されています。

　さらに、「星見石」や「星圖（ほしず）」などの史跡や古文書などからは、星々が沖縄の人々の暮らしに、いかに深く関わってきたかを知ることができます。星々と関わる文化、「星文化」が沖縄にはあるのです。

　沖縄には、琉球王朝時代から今日まで、波乱万丈の歴史があります。苦渋もたくさんあります。ある時、島の方が、「苦労は多かったが、夜になれば星を眺めて心を癒（いや）してきたよ」と話され、その気持ちがとてもよく伝わってきました。

　沖縄で星空案内をしている中で、星の本を作りませんかというお話を頂きましたが、私はいわゆる星座の解説書や、星空観察の入門書にはしたくないなと思いました。

　「沖縄の美ら星」には、長い歴史と暮らしを通じての沖縄の人々の思いや願いが込められています。沖縄で星空を見上げる時は、美しいと思うだけでなく、島の人々が、あの時あの場所で、どんな気持ちでこの星を眺めていたのだろうか、そんなことにも思いを馳せていただければと思います。

　沖縄の星空は、すばらしいですが、「沖縄の美ら星」は、目で見て楽しむだけでなく、心でも見て欲しいものです。

　この本を通して、「沖縄の美ら星」の本当の美しさを知って頂ければ幸いです。

石垣島川平湾の梅雨明けの日のてぃんがーら（天の川）と、木星、土星

Contents

すばらしい沖縄の星空

■南の星座

　沖縄から、見あげる星空のなんとすばらしいことでしょう。石垣島天文台で、土日祝日に開催される「むりかぶし望遠鏡」を使った天体観望会では、来られた方が駐車場で車を降りたとたんに、その美しさに歓声をあげます。特に本土から来られた方の驚きはひとしおです。

　なぜ、沖縄の星空はすばらしいのでしょうか。それは、沖縄が本州から1000kmも南に遠く離れているからです。八重山諸島はさらに沖縄本島から400ｋｍ南に位置し、北回帰線のすぐ北側です。緯度でみると、東京や大阪から、10度以上も南です。

　このため、本土では見られない南の星空が広がっています。88星座のうち、84星座が見られ、21個の1等星すべてを見ることもできます。南十字星の4個の星がすべて見え、この星を見ると長生きをするというカノープス（南極老人星）も容易に見られるのが沖縄の星空です。沖縄の人達が長生きなのは、心も

癒してくれるこんなすばらしい星空があるからでしょう。

　地球の上でみると、沖縄はジェット気流の影響がすくなく大気が安定しているので、星々がくっきりと良く見えます。空気も澄んでいるのでなおさらです。

　私たちは、大気を通して星を見ています。水の澄んでいる池では、魚や底の石は姿形がはっきりと見えますが、流れのある川では揺らいでよく見えません。上空の大気が揺らいでいると、川底の石のように星も揺れていて、くっきりと見ることができないのです。

　また、北回帰線に近く、太陽や惑星が空高くまで昇り、本州より少し薄い大気の層を通して見られ、星空観望には最適な地域です。

　石垣島天文台で撮った天体写真が驚くほど美しいのは、「むりかぶし望遠鏡」の九州沖縄で最大の口径（105cm）とこの観測条件が相乗しあって、さらに効果を上げているからです。

■地球上の風の向き

　沖縄は偏西風（ジェット気流）や貿易風の影響が少なく、上空の大気が安定しているので、星空の観測に適しています。地球は地軸（回転軸）が傾いており、北回帰線は夏至の日に太陽が真上にくる場所です。英語では、「Tropic of Cancer」ともよばれますが、これは夏至の時太陽が12星座のかに座にあるからです（冬至には、太陽はやぎ座にあり、南回帰線は「Tropic of Capricorn」とよばれます。熱帯地域をトロピカルといいますが、南北の回帰線の間の地域ということです）。

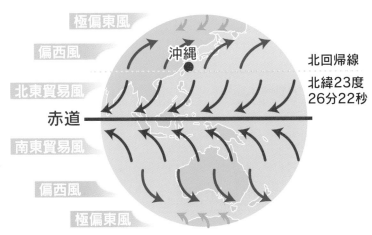

極偏東風
偏西風
沖縄
北回帰線
北緯23度26分22秒
北東貿易風
赤道
南東貿易風
偏西風
極偏東風

てぃんがーら（天の川）に沿って、わし座とアルタイル、南斗六星（いて座）、さそり座とアンタレスが並びます。2019年は天の川の両岸に木星と土星が見えました

■七夕が2回も楽しめる沖縄

今では、「星のイベントとしては日本最大」といわれる石垣島の「南の島の星まつり」ですが、これは国立天文台の提唱する「伝統的七夕」のひとつとして始まったものです。

今の暦の7月7日の本土ではまだ梅雨の真っ最中です。子どもたちが、せっかく七夕飾りを作ったり、星のお話を聞いたりしても、その夜天の川も星も見られません。

そこで国立天文台では、2001年に「七夕は昔通り、旧暦でしましょう」と全国によびかけ

たのが「伝統的七夕イベント」です。

「街の明かりを1時間消して、みんなで天の川をみましょう」という提案も各地に広がって開催されるようになっています。

そして、沖縄では、6月末のハーリー（海神祭）と共に、梅雨が明けるので、新暦でも旧暦でも、2回の七夕が楽しめるのです。

写真は、2018年から始まった新暦7月7日に小浜島のそばの無人島で開催される「カヤマ島星まつり」で見られた夏の星々です。

■21個の１等星がすべて見える沖縄

沖縄は南の星空が本土にくらべたくさん見ることができます。このため、八重山諸島では、１月頃には一晩で、21個の１等星がすべて見られるようになります。天文ファンの人たちは、一晩で１等星を全部見ようという「一等星マラソン」に挑んだりしますが、ゆっくりと１年をかけて完走をするのも良いでしょう。

星の明るさは、１等星、２等星というように、等級であらわされますが、明るさを数字であらわされても、感じをつかむのは難しいですね。等級は肉眼でなんとか見られる星の明るさを６等星として、その100倍の明るさを持っている星を１等星としました。そして、その間を六つに分けたのです。１等級変わると、約2.5倍明るさが変わることになります。１等星と３等星は、２等級の差ですので、2.5×2.5で、約6倍明るさが違うことになります。

星の等級と明るさ

1等星	
2等星	
3等星	
4等星	
5等星	
6等星	

「21個の１等星」といわれますが、マイナス等星２個、ゼロ等星７個、１等星12個の合わせた数です。肉眼で見える６等星までの星の数は、約9000個になりますが、私たちの銀河系（天の川銀河）は、2000億個の星があるといわれています。この星空のどこかの星には、私たちと同じような生命がいて、同じように星空を眺めているのかも知れませんね。

南十字星の東側に二つ並んで見える「ぱいがぷし」の右側の星α（アルファ）ケンタウリ（リギル、−0.3等星）は、私たちからもっとも近い星で、4.3光年のところにあります。沖縄からは、太陽系のお隣さんの星を見ることができるのです。ちなみに、並んだように見えている右側のβ（ベータ）ケンタウリ（ハダル、0.6等星）までは、530光年です。見た目よりもはるかに遠くで輝いている星なのです。

■ 星の名前とギリシャ文字

21個の１等星の多くには、ドイツのバイエルがつけた名前がつけられています。星座の中の明かるい星から順にギリシャ文字で「α、β、…」がつけられています。たとえば、ケンタウルス座のαCen、βCenなどです。

小文字	大文字	読み方	小文字	大文字	読み方
α	A	アルファ	ν	N	ニュー
β	B	ベータ	ξ	Ξ	クシー
γ	Γ	ガンマ	o	O	オミクロン
δ	Δ	デルタ	π	Π	パイ
ε	E	イプシロン	ρ	P	ロー
ζ	Z	ゼータ	σ	Σ	シグマ
η	H	イータ	τ	T	タウ
θ	Θ	シータ	υ	Υ	ウプシロン
ι	I	イオタ	φ	Φ	ファイ
κ	K	カッパ	χ	X	カイ
λ	Λ	ラムダ	ψ	Ψ	プサイ
μ	M	ミュー	ω	Ω	オメガ

● 21個の1等星

明るい順	星　名	星　座	等級	色	距離(光年)	一口解説	図中の番号
1	シリウス	おおいぬ座	-1.5	白	8.6	ギリシャ語で、焼き焦がすもの。中国では、天狼。	10
2	カノープス	りゅうこつ座	-0.7	白黄	309.0	水先案内。中国で、南極老人（星）。年末年始が見ごろ、寿星、寿老人。	13
3	αケンタウリ	ケンタウルス座	-0.1	黄	4.4	ケンタウルスの足。伴星プロキシマが太陽系に最も近い星（4.2光年）。	18
4	アルクトゥルス	うしかい座	-0.0	赤橙	36.7	ギリシャ語で、熊の番人。和名では、麦星。	15
5	ベガ	こと座	0.0	白	25.0	下降するハゲタカ。空のアーク燈。和名は、織姫（おりひめ）、織女（しょくじょ）。	1
6	リゲル	オリオン座	0.1	青白	862.4	アラビア語で、足、左足。和名は、源氏星。	7
7	カペラ	ぎょしゃ座	0.1	黄	42.8	ラテン語で、牝山羊。英語で、子山羊。うとな星（目につく星、八重山諸島）	8
8	プロキオン	こいぬ座	0.3	白黄	11.5	ギリシャ語で、犬の先にくるもの、先駆者。	11
9	ベテルギウス	オリオン座	0.4	赤橙	642.2	アラビア語で、双子の家、腕、わきの下。和名では、平家星。	9
10	アケルナル	エリダヌス座	0.5	青白	139.4	アラビア語で、川の果て。	5
11	βケンタウリ	ケンタウルス座	0.6	青	391.8	α星と同じく、ケンタウルスのもう一つの足になる。	19
12	アルタイル	わし座	0.8	白	16.7	アラビア語で、飛ぶ鷲。和名では、彦星（ひこぼし）、牽牛（けんぎゅう）。	2
13	アクルックス	みなみじゅうじ座	0.8	青白	320.0	南十字星のα星。最南の1等星。十字架の足、γ星と縦柱を作る。	21
14	アルデバラン	おうし座	1.0	赤橙	66.6	アラビア語で、ついてくるもの、遅れてくるもの。牡牛の眼	6
15	スピカ	おとめ座	1.0	青	249.6	ラテン語では、海の穂。真珠星として親しまれる。	16
16	アンタレス	さそり座	1.1	赤	553.5	アラビア語で、火星に対抗するもの。サソリの心臓。ぴたこりぶし（酔っ払い星）。	17
17	ポルックス	ふたご座	1.2	赤橙	33.8	和名は、金星（きんぼし）。金さん（ふたご座のカストルは、銀さん）	12
18	フォーマルハウト	みなみのうお座	1.2	白	25.1	アラビア語で、鯨の口。英語は、魚の口。秋の一つ星。中国では、北落師門（長安の北門）。	4
19	デネブ	はくちょう座	1.3	白	1411.3	白鳥の尾、尻。北十字の頭。	3
20	ベクルックス	みなみじゅうじ座	1.3	青	278.4	南十字星のβ星。δ星と十字架の横木を作る。	20
21	レグルス	しし座	1.4	青白	79.3	ラテン語で、王、支配者。	14

全天の1等星

秋

夏　北極星　冬

春

夏の大三角
冬の大三角
春の大三角

☆：本州以北では見えない星
★：北極星は、2等星です

13

■88星座　沖縄では、84星座が見える

「88星座中、84星座が見える」、これは八重山諸島の天文ファンの自慢です。実は、84星座というのは一部でも見える星座を含めての数です。それにしても、沖縄がいかに南にあるかを示していますね。88星座を表にしましたが、沖縄からでも見えない4星座は、カメレオン座、テーブルさん座、はちぶんぎ座、ふうちょう座です。

星座名に黄色地になっている星は黄道星座で、古くから知られている黄道12宮と密接な関係のある星座です。誕生日の星座として

も知られています（P105参照）。

これらの88星座の名前とその領域（境界）は、1928年の国際天文学連合の第3回総会でまとまり、1930年に確定しました。「新天体を〇〇座に見つけました」というとき、世界中で共通の星座と領域が定まっていないと、違う場所を観測することになるからです。

石垣島天文台のむりかぶし望遠鏡で撮影した天体画像を紹介する時も、「オリオン座の馬頭星雲」といえば、どのあたりにある星雲かが、すぐに分かってもらえると思います。

■ 88星座名・星座略符一覧 (星座名の50音順)

	星 座 名	略符	見ごろ		星 座 名	略符	見ごろ
あ	アンドロメダ	And	11月下旬		からす（烏）	Crv	5月下旬
い	いっかくじゅう（一角獣）	Mon	3月上旬		かんむり（冠）	CrB	7月中旬
	いて（射手）	Sgr	9月上旬	**き**	きょしちょう（巨嘴鳥）	Tuc	11月中旬
	いるか（海豚）	Del	9月下旬		ぎょしゃ（馭者）	Aur	2月中旬
	インディアン	Ind	10月上旬		きりん（麒麟）	Cam	2月中旬
う	うお（魚）	Psc	11月下旬	**く**	くじゃく（孔雀）	Pav	9月上旬
	うさぎ（兎）	Lep	2月上旬		くじら（鯨）	Cet	12月中旬
	うしかい（牛飼）	Boo	6月下旬	**け**	ケフェウス	Cep	10月中旬
	うみへび（海蛇）	Hya	4月下旬		ケンタウルス	Cen	6月上旬
え	エリダヌス	Eri	1月中旬		けんびきょう（顕微鏡）	Mic	9月下旬
お	おうし（牡牛）	Tau	1月下旬	**こ**	こいぬ（小犬）	CMi	3月中旬
	おおいぬ（大犬）	CMa	2月下旬		こうま（小馬）	Equ	10月上旬
	おおかみ（狼）	Lup	7月上旬		こぎつね（小狐）	Vul	9月中旬
	おおぐま（大熊）	UMa	5月上旬		こぐま（小熊）	UMi	7月中旬
	おとめ（乙女）	Vir	6月上旬		こじし（小獅子）	LMi	4月下旬
	おひつじ（牡羊）	Ari	12月下旬		コップ	Crt	5月上旬
	オリオン	Ori	2月上旬		こと（琴）	Lyr	8月下旬
か	がか（画架）	Pic	2月上旬		コンパス	Cir	6月下旬
	カシオペヤ	Cas	12月上旬	**さ**	さいだん（祭壇）	Ara	8月上旬
	かじき（旗魚）	Dor	1月下旬		さそり（蠍）	Sco	7月下旬
	かに（蟹）	Cnc	3月下旬		さんかく（三角）	Tri	12月中旬
	かみのけ（髪）	Com	5月下旬	**し**	しし（獅子）	Leo	4月下旬
	カメレオン	Cha	4月下旬		じょうぎ（定規）	Nor	7月中旬

そもそもは、紀元前3000年のころにメソポタミアの羊飼いたちが、羊の番をしながら、星空を眺めているうちに、いくつかの星のまとまりに名前を付けたのが始まりとされています。また、昔は星があまりにもたくさん見えたので、南米の先住民たちは、星のない影絵のような部分に名前を付けていたそうです。南十字星の東側の暗黒星雲の部分を私たちが「石炭袋（コールザック）」と呼んでいるのと同じですね。

おおぐま座のしっぽの部分を、日本では、「北斗七星」とよびますが、沖縄では「にしななちぶし」とよびます。「にし」は「北」です。沖縄では、「南」は「はい」、「東」は「あがり」、「西」は「いり」とよばれます。サバニ船に似た形から「ふなぶし」ともよばれます。

星座の境界が決められ、分割された星空の領域で最も広いのは「うみへび座」で、最も狭いのは「南十字座」で、19倍ほども差があります。この二つの星座を見ることができるのは、国内では沖縄だけです。

（「春の星座」のページをご覧ください）

	星 座 名	略符	見ごろ
た	たて（楯）	Sct	8月下旬
ち	ちょうこくぐ（彫刻具）	Cae	1月下旬
	ちょうこくしつ（彫刻室）	Scl	11月下旬
つ	つる（鶴）	Gru	10月下旬
て	テーブルさん（テーブル山）	Men	2月上旬
	てんびん（天秤）	Lib	7月上旬
と	とかげ（蜥蜴）	Lac	10月下旬
	とけい（時計）	Hor	1月上旬
	とびうお（飛魚）	Vol	3月中旬
	とも（船尾）	Pup	3月中旬
は	はえ（蠅）	Mus	5月下旬
	はくちょう（白鳥）	Cyg	9月下旬
	はちぶんぎ（八分儀）	Oct	10月上旬
	はと（鳩）	Col	2月上旬
ふ	ふうちょう（風鳥）	Aps	7月中旬
	ふたご（双子）	Gem	3月上旬
へ	ペガスス	Peg	10月下旬
	へび（蛇）	Ser	7月中旬 / 8月中旬
	へびつかい（蛇遣）	Oph	8月上旬
	ヘルクレス	Her	8月上旬
	ペルセウス	Per	1月上旬
ほ	ほ（帆）	Vel	4月上旬

	星 座 名	略符	見ごろ
	ぼうえんきょう（望遠鏡）	Tel	9月上旬
	ほうおう（鳳凰）	Phe	12月上旬
	ポンプ	Ant	4月中旬
み	みずがめ（水瓶）	Aqr	10月下旬
	みずへび（水蛇）	Hyi	12月下旬
	みなみじゅうじ（南十字）	Cru	5月下旬
	みなみのうお（南魚）	PsA	10月中旬
	みなみのかんむり（南冠）	CrA	8月下旬
	みなみのさんかく（南三角）	TrA	7月中旬
や	や（矢）	Sge	9月中旬
	やぎ（山羊）	Cap	9月下旬
	やまねこ（山猫）	Lyn	3月中旬
ら	らしんばん（羅針盤）	Pyx	3月下旬
り	りゅう（竜）	Dra	8月上旬
	りゅうこつ（竜骨）	Car	3月下旬
	りょうけん（猟犬）	CVn	6月上旬
れ	レチクル	Ret	1月中旬
ろ	ろ（炉）	For	12月下旬
	ろくぶんぎ（六分儀）	Sex	4月中旬
わ	わし（鷲）	Aql	9月上旬

　　は、誕生日の星座
　　は、領域全体が見えない星座
　　は、沖縄では見ることができない星座

15

■太陽（てぃだ）

灰谷健次郎の児童文学「太陽の子（てだのふぁ）」で、沖縄では太陽のことを「てだ」とよぶことを知りましたが、沖縄に来てみると「てぃだ」と言っています。これは、南島式の発音で「て」が「てぃ」となるからで、表記と発音の違いでした。

太陽は、地球から最も近い星＝恒星です。恒星は、自分で光り輝く星です。太陽の中では水素からヘリウムを作る核融合反応が起きていて、熱や光などを出しているのです。

太陽は、誕生してから46億年経っており、これまでに中心核にある水素の約半分を使っており、あと50億年くらいで、すべてを使い果たしてしまいます。つまり、太陽系の寿命は後50億年ほどなので

す。寿命が近づくとだんだんとふくらんで、惑星状星雲になって地球を飲み込んでしまうと言われています。その後は、また小さくなってきて、地球の大きさの白色矮星になりますが、白色矮星がその後どうなるかは、まだ分かっていません。

太陽は、身近な天体ですが、昼や夜、四季を作り、日食を起こしたりする神秘な振る舞いや、そのエネルギーの大きさから、昔から神や天の王様として敬われてきています。

しかし、今ではその現象も科学的に解明され、日食の予報もできるようになっています。

四季の変化が起きるのは、地球の地軸（北極と南極を結ぶ自転軸）が23.4度傾いた状態で、太陽の周りを公転しているからです。

沖縄で、東の方角を「あがり」、西の方角を「いり」というのは、太陽が上がり、入る方角だからです。四季の変化に応じて、日の出、日の入りの場所も変わってゆきます。石垣島から見る夕陽は、夏至の頃は西表島の北の海に入りますが、冬至は島の南の海に入ります。春や秋は、島影に沈んでゆきます。朝日や夕日を見ながら、季節の変化を楽しんでもらえればと思います。

西表島の北の海、鳩間島の島影に沈んでゆく夏の太陽
（石垣島天文台から撮影）

※地球から太陽までの距離は、1億4960万kmです。太陽から出た光が地球までに届く時間は、8分19秒とされています。

春の星空

　ヤツガラシやアカショービンなど春の渡り鳥がやってくる沖縄の春。春の星座は、なんといっても南十字星です。その左には、ケンタウルス座のα星、β星も見えてきます。沖縄でなければ見えない星ぼしです。

　そして、ぽつんと白く輝く1等星スピカが見つかれば、そこはおとめ座です。にぎやかだった冬にくらべると、おしとやかな星空ですが、それはおとめ座の季節だからでしょうか。

　北斗七星も、北の空高くあがってきますの

で、北極星を探しましょう。本土から来た方は、北極星の高さが低いのに驚いてしまいます。

　北斗七星の柄の曲がりをそのままのばすと、うしかい座のアルクトゥルス、そしておとめ座のスピカへとつながってゆきます。これが春の大曲線です。さらにしし座のデネボラをつなぐ三角形が春の大三角。その南に、のたりと横たわるのが、全天でもっとも長い星座うみへび座です。春の星座は、スケールが大きいようです。

アルクトゥルス　うしかい座

へび座

春の大三角

デネボラ

おとめ座

てんびん座

スピカ

コップ座

からす座

さそり座

ケンタウルス座

南十字星

みなみじゅうじ座　γ

ばいがぶし　βケンタウリ

αケンタウリ　β　δ

ベクルックス

アクルックス　α

▌春の星空

● 大きな星座と小さな星座

　沖縄でこそ楽しめる星空観察のひとつが、全天でいちばん大きな星座と、いちばん小さな星座を、いっしょに見ることができるということです。

　いちばん大きな星座は、うみへび座です。その大きさを角度の拡がりで示すと約1300平方度になります。一方、いちばん小さな星座は、みなみじゅうじ座で、約70平方度です。南十字星は、北斗七星の柄杓（ひしゃく）の中にすっぽり

と入る大きさなのです。南十字星の見える沖縄では、この二つの星座を同時に見ることができるのです。

● みなみじゅうじ座と南十字星

　南十字星は、みなみじゅうじ座の中にある星の並びです。南十字星はみなみじゅうじ座の星座の中のα（アルファ）、β（ベータ）、γ（ガンマ）、δ（デルタ）の四つの星で作られる十字の形をした星のつながりです。γ星とα

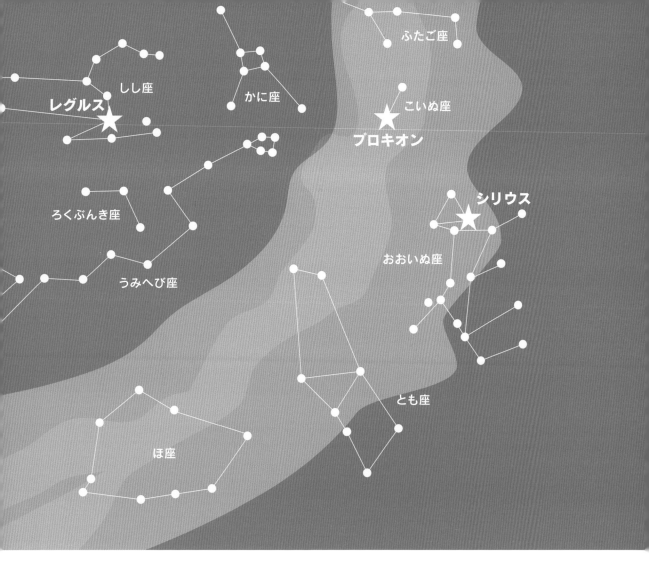

ふたご座

こいぬ座

プロキオン

しし座

レグルス

かに座

シリウス

ろくぶんき座

おおいぬ座

うみへび座

とも座

ほ座

星、β星とδ星をつなぐ線が、十字に交わり、南の星空に十字架のように輝いていることから名前が付けられました。25ページの図のようにε（イプシロン）星をえくぼ星とよんで、これも加えた五つの星で南十字星とよぶこともあります。

　オーストラリアやニュージーランド、パプアニューギニア、サモアなどでは、南十字星を国旗や通貨に描いています。

オーストラリアのコイン

<table>
<tr><td colspan="2">**大きな星座のベスト3**</td></tr>
<tr><td>第1位</td><td>うみへび座</td></tr>
<tr><td>第2位</td><td>おとめ座</td></tr>
<tr><td>第3位</td><td>おおぐま座（北斗七星）</td></tr>
</table>

<table>
<tr><td colspan="2">**小さな星座のベスト3**</td></tr>
<tr><td>第1位</td><td>みなみじゅうじ座</td></tr>
<tr><td>第2位</td><td>こうま座</td></tr>
<tr><td>第3位</td><td>や座</td></tr>
</table>

石垣島名蔵湾の南十字星とぱいがぶし

南の空、北の空

南の空

春の大曲線
北斗七星
りょうけん座
うしかい座
ヘルクレス座
かみのけ座
こじし座
ねこ座
おとめ座
しし座
★レグルス
かんむり座
ろくぶんき座
かに座
ふたご座
へび座
アルクトゥルス
ボルックス
コップ座
★スピカ
うみへび座
こいぬ座
プロキオン
てんびん座
からす座
ポンプ座
らしんばん座
いっかくじゅう座
ケンタウルス座
（ばいがぶし）
ベクルックス
ほ座
とも座
βケンタウリ
αケンタウリ
★アクルックス
★シリウス
へびつかい座
さそり座
★アンタレス
おおかみ座
みなみじゅうじ座
おおいぬ座

東　　　　　　　　南　　　　　　　西

▌春の星座は、南十字星

　にぎやかな西の空に比べると、おしとやかな南の空ですが、それもそのはずです。春の星座おとめ座が南東の空に上がってきています。おとめ座の1等星スピカが一つ白く輝いているのを探しましょう。そして、北斗七星の柄杓の柄をスピカに向けて伸ばしてゆくと、その間にオレンジ色に輝く1等星があります。うしかい座のアルクトゥルスです。こうして伸ばして見る曲線を「春の大曲線」とよびます。この曲線をスピカから右の方に延ばすと、少し

くずれた四角形の星座があります。からす座です。

　からす座を見つけたら、目を真南の水平線の方に向けてゆきましょう。そこには、南十字星が見えるはずです。十字の四つの星の一番下のα（アルファ）星は、沖縄本島ではかろうじて見えますが、八重山諸島では水平線の上にすべてを見ることができます。南十字星は、これだけで星座を作っていて、星座の中では最も小さいのですが、1等星を二つ持ってい

22

北の空

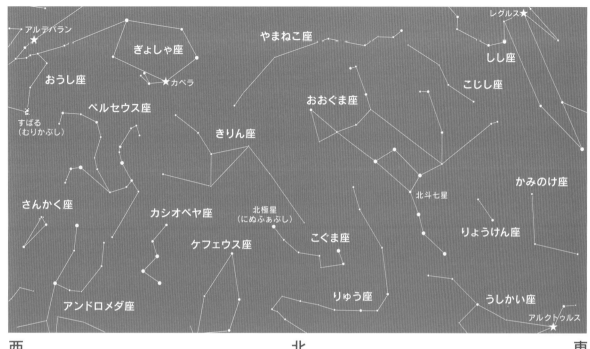

アルデバラン
おうし座
ぎょしゃ座
★カペラ
すばる
（むりかぶし）
ベルセウス座
きりん座
さんかく座
カシオペヤ座
北極星
（にぬふぁぶし）
ケフェウス座
こぐま座
アンドロメダ座
りゅう座
やまねこ座
レグルス★
しし座
こじし座
おおぐま座
北斗七星
かみのけ座
りょうけん座
うしかい座
アルクトゥルス★

西　　　　　北　　　　　東

る星座のひとつです。

　にしななちぶし（北の七星、北斗七星）は、北の空で、田畑に水をやるように下向きに見えます。にぬふぁぶし（子方星、北極星）も見つけやすいので、おおぐま座、こぐま座を探してみましょう。

　なお、「はいむるぶし」は島の古いことばではありません。新しいホテルの名前として、「はい」（南）と「むるぶし」（群星）を組み合わせ「南十字星」と意味付けした造語です。

★スピカ
おとめ座

● 南十字星が見える島

　沖縄では、本州では見ることができない星々がたくさん見えますが、石垣島、八重山諸島では、南十字星の4個の星のすべてが見えます。

　地球は丸いので、南に行くほど水平線（地平線）が下がってゆき、その下に隠れていた星空が見えてくるのです。

　本州などでは見えない1等星（南十字星のα、β星、、ケンタウルス座のα、β星、秋のアケルナルなど）も含め、21個の1等星すべてが見られるので、日本でもっともたくさんの星が輝く島々といえます。

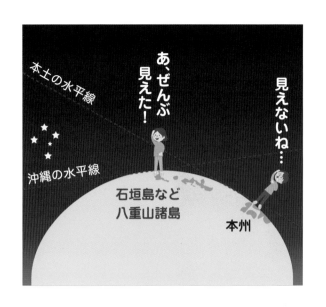

■ 南十字星時計

■ 南十字星が真南に見られるおよその時刻

月　日	時　刻
12月24日	6:20前
1月 1日	6:30
1月15日	5:40
2月 1日	4:30
2月15日	3:35
3月 1日	2:40
3月15日	1:45
4月 1日	0:40
4月15日	23:40
5月 1日	22:40
5月15日	21:40
6月 1日	20:35
6月15日	20:25後

12月は夜明け前、1月から6月初めは、前後2時間が見ごろ、6月は日没の後暗くなったら南の水平線を見てみよう。

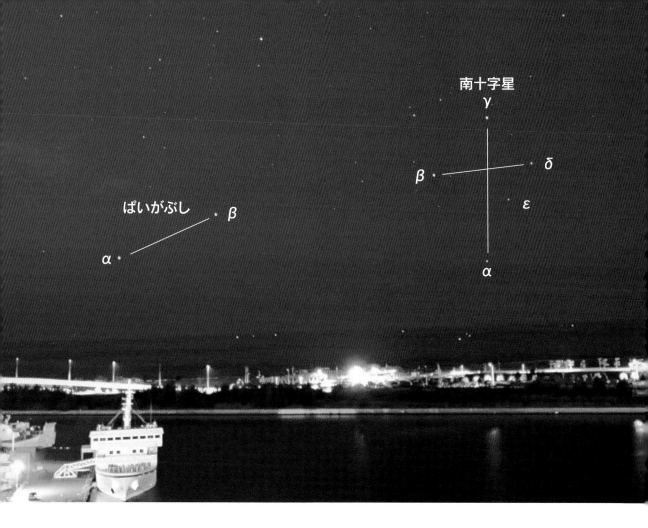

南十字星

γ

β　　　　δ

ε

α

ぱいがぶし

β

α

● 南十字星が真南に見られる
おおよその時刻

　左表は、毎月はじめと15日に南中するころ
の時刻です。見える時刻は、毎日約4分早くな
ります。表の日にちの翌日は－4分、前日は＋
4分するとその日の南中する時刻になります。
　たとえば、5月3日は5月1日から2日後です
ので、4分×2日＝8分を、5月1日の南中時刻
22：37から引きます。22：29が、5月3日の南
中時刻となります。

※南中時の前後1時間が見頃です。1月初めまでは、この時間前に、6月
　15日以後は、この時間の後に1時間程度見られます。

● 南十字星

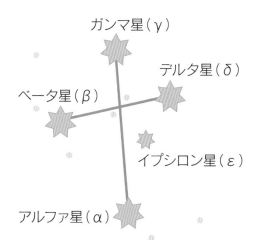

ガンマ星（γ）

デルタ星（δ）

ベータ星（β）

イプシロン星（ε）

アルファ星（α）

● ぱいがぶし（ケンタウルス座α星、β星）

　南十字星の東側には、二つの明るい星が並んで見えています。沖縄の八重山諸島では、「ぱいがぶし（南の星）」とよばれ、古文書「星圖」には「ハイメ星（南風見星）」とあります。ケンタウルス座の1等星α星とβ星です。

　α星は、太陽系から最も近い（4.3光年）星です。このα星は、三重連系星で、三つの恒星からできていて、主星周りを二つの伴星がまわっていて、2012年に、この一つの伴星に、地球の大きさほどの惑星がまわっていることがわかりました。

　八重山諸島の黒島では、おっぱいが四つあったお母さんが、琉球王朝に召されたときに、「このまま戻ってこなかったら、稲刈りの頃に二つの星が並ぶので、お母さんと思って

おくれ」と言い残したという民話「まなびあぶ」のお話が残っています（126頁参照）。

　昔、八重山の島々では、初夏の夕暮れに「ぱいがぶし」の二つの星が真横に並ぶと、稲刈りの始まりとされていました。海人は、「沖をカツオが通る季節だ」と、漁に出かける目安にしていました。そして、冬が近づき、明け方に「ぱいがぶし」が横に並ぶようになると、苗代作りを始めていました。

　今も八重山では、2月には田植えが始まり、6月には、新米のご飯に、初ガツオがご馳走になれますね。

　この「ぱいがぶし」と「南十字星」の並びは2と4、まさに北緯24度の八重山諸島の星、「やいまの星」ではないでしょうか。

1952年2月19日発行　万国郵便連合加入75年、
2016年5月20日発行　フレーム切手「美ら星の島」の1枚、
2017年3月 3日発行　「星の物語」シリーズ5集の1枚

● 日本にも南十字星の切手

　海外には、南十字星のコインや切手がたくさんありますが、日本でも、最近は星空ブームもあってか、南十字星（座）の切手も発行されています。

　あまり知られてないですが、日本で戦後すぐに南十字星を描いた切手が発行されています。1952年に「万国郵便連合加入75年」の記念切手に、船のデッキと南十字星が描かれています。平和になって国際交流が始まったことを、南十字星で示しているのでしょう。

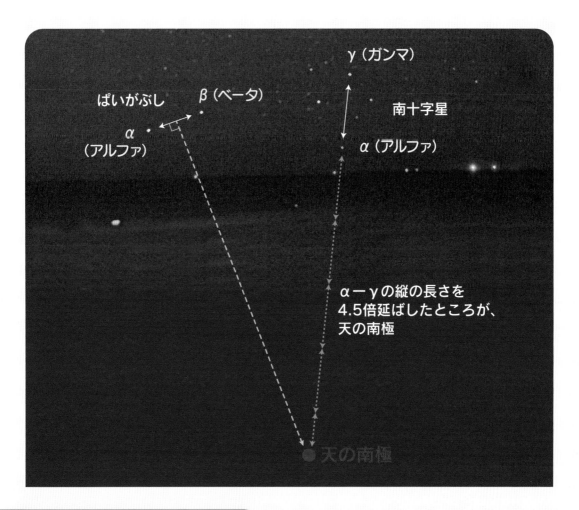

γ（ガンマ）

南十字星

ぱいがぶし　β（ベータ）

α
（アルファ）

α（アルファ）

α－γの縦の長さを
4.5倍延ばしたところが、
天の南極

天の南極

南の空の大時計

● 南十字星と天の南極

　南半球では、北極星のような天の真南を示してくれる星がありません。大航海時代に船乗りたちはどうやって天の南極を探したのでしょう。

　南十字星のγ（ガンマ）星とα（アルファ）星の長さを南に4.5倍伸ばしたところが天の南極になります。ケンタウルス座のα星とβ（ベータ）星の中心を直角に伸ばした線と南十字星のγ星とα星を伸ばした線が交わる点も、おなじ天の南極になります。

　このようにして、船乗りたちは暗い夜に星の位置を観測して、南の方角を確かめながら航海をしていたのです。

■春の星座の見つけ方

● 「春の大曲線」をたどってみよう

　春の星座の人気は南十字星で、目印にからす座やスピカを紹介しましたが、これらの星を簡単に探す方法があります。北の空の北斗七星の柄杓の柄の部分を伸ばしてゆくと明るい星アルクトゥルスがあります。さらに伸ばすと、スピカに届きます。その横にからす座があり、その下が南十字星となるのです。北斗七星からスピカまでのこのカーブは、「春の大曲線」とよばれ、プラネタリウムや野外の星空観望会でもよく紹介されます。南十字星を探す時の目安にもなりますので、自分の目で確認しておくと便利です。

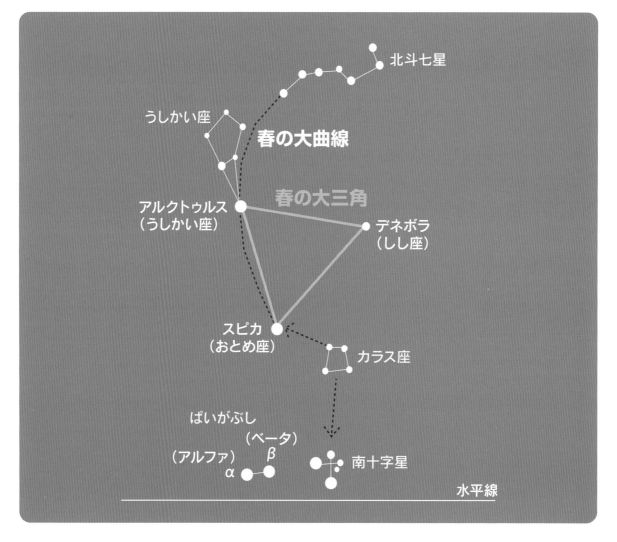

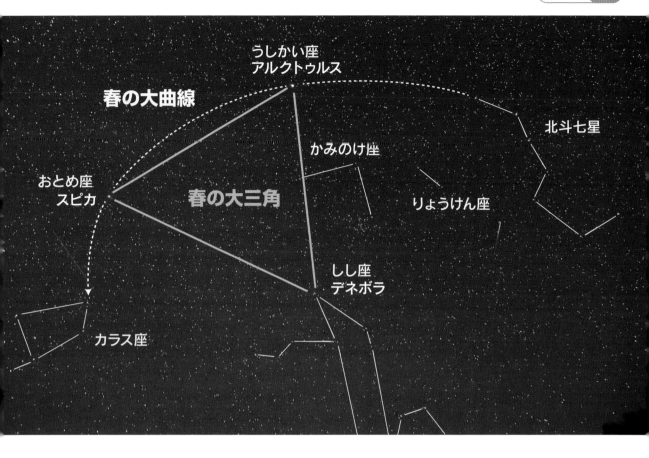

うしかい座
アルクトゥルス

春の大曲線

北斗七星

かみのけ座

おとめ座
スピカ

春の大三角

りょうけん座

しし座
デネボラ

カラス座

● ハワイ島を見つけた星、アルクトゥルス

北斗七星から伸びる春の大曲線の真ん中に輝くうしかい座のアルクトゥルスは、ハワイ諸島では「ホクレア」とよばれています。この名前の意味は、喜びの星、幸せの星です。

昔々、ポリネシアの人々に天の王さまが「この星が真上に見える場所にいきなさい」というので、カヌーを漕いで何日も航海をしてゆくと、そこには大小の島々からなるハワイ諸島があったそうです。そのハワイ発見の喜びが星の名前になったのでしょう。

石垣島もホノルルと同じ北緯24度に位置しており、「ホクレア」を空高くみることができます。

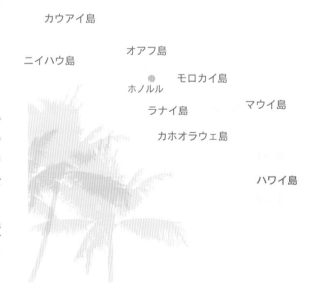

カウアイ島

ニイハウ島

オアフ島

ホノルル

モロカイ島

ラナイ島

マウイ島

カホオラウェ島

ハワイ島

● かんむり座　七つの宝石が散りばめられた星座

　春の天頂（てんちょう、天の真上のこと）、うしかい座の1等星アクトゥルスのそばをよく見ると、2等星以下の小さな星が七つ、半円状につながっているのが見えます。これが、かんむり座です。七つの宝石が散りばめられていて、右から三つめは真珠だそうで、もっとも明るく輝いています。星のお酒の神様バッカスが、妻に贈った冠（かんむり）で、妻が亡くなった後に天に飾ったそうです。地球から約75光年も離れたところにあり、もう手に取ることはできませんね。

　沖縄では、夏の天の川のそばに「みなみのかんむり座」が見えますが、それと区別するために「きたのかんむり座」とよんだりもします。

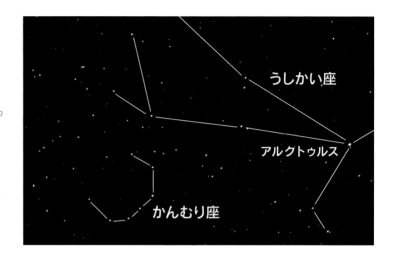

うしかい座

アルクトゥルス

かんむり座

● からす座

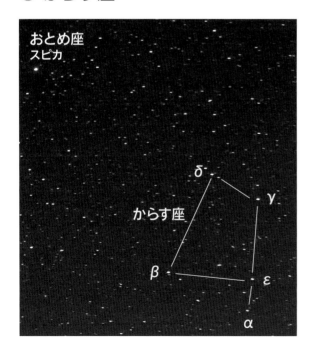

おとめ座
スピカ

δ

γ

からす座

β

ε

α

　春の南の空に輝くおとめ座のスピカの横に輝く台形のような四角形の星座です。4個の星は3等星で、ε星の横の星がα星で4等星です。α星とされているということは、昔はもっと明るかったのでしょう。

　今では、南十字星を探すときに役立つ星として知られるようになりましたが、この星座の形が船の帆ににていることから、古くから「からすの帆」とよばれてきました。和名でも「ほかけぼし」とされています。

　この鳥、からすは昔は金色の美しく、人間の言葉がわかる鳥でしたが、あるとき嘘をついたので、羽を黒くされたといわれています。

　沖縄では、祭りの踊りエイサーで使う太鼓に似ていることから、この星座を「エイサー太鼓」ともよんでいるようです。

● しし座、こじし座

　冬の星座を追い払うように春の代表的な星座、しし座が、こじし座といっしょに昇ってきます。暗い星ですが、しし座の背中に乗っかっているのが、こじし座です。

　春の大三角のひとつデネボラは、このしし座の「お尻」です。デネボラから右（西）に長方形の星が並び、その中でひときわ明るいのが1等星のレグルスです。

　ライオンの胸に銀メダルのように輝いていますが、このレグルスから上（北）に「？」マークを左右逆にした形に星が並んでいます。

　これがライオンの頭の部分です。西洋では、この形が草刈りカマに似ていることから、「ししの大がま」とよばれます。口を大きく開けて「ウォー」と叫んでいるようですね。

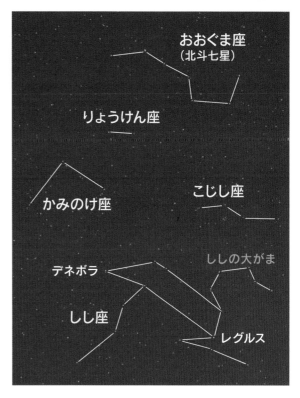

● おおぐま座、こぐま座

　しし座と同じように、親子の星座のひとつが、おおぐま座、こぐま座です。おおぐま座の尻尾が、北斗七星、こぐま座の尻尾の先が北極星です。両方の熊の尻尾が長いのは、尻尾をもって空に投げられたために伸びたそうです。

　北極星を中心に星々は回っていますが、沖縄では春におおぐま座が北の水平線に沈んで見えなくなります。これを、「星のゆどぅん（道草）」といいます。八重山の島々では、梅雨の季節を「ゆどぅん」と言っていましたが、北斗七星の他、「むりかぶし（群星）」「たつぁーぎぶし（オリオン座の三つ星）」の星々も見えなくなることからこうよばれていました。

31

■イータ・カリーナ

　八重山諸島では、新年から春にかけて、南十字星やケンタウルス座のα星、β星（ぱいがぶし）が見られるので、天文ファンには嬉しい季節です。そして、肉眼で見るのは難しいですが、このイータ・カリーナを観測できるのも、日本ではこの南の島だけです。

　高度が低く、むりかぶし望遠鏡では撮影が難しいので、小型望遠鏡にデジタルカメラを取り付けて観測しました。

　1843年に爆発的に−1等の明るさとなり、太陽系を含む銀河系の中では最も明るい星（太陽の40万倍）となり、ガスや塵を照らし出している大変美しい星です。

イータ・カリーナ星雲（NGC 3372 / りゅうこつ座）
撮影日時：2013年3月10日 00時50分44秒[JST]
撮影場所：石垣島天文台
撮影時の高度は、僅か5度くらいしかないため、鮮明に撮影するのは、たいへん難しい！

夏の星空

南の海から北の空に流れるように輝く白い帯、天の川の美しい季節です。夏の星座の代表は、さそり座です。南の空に明るく輝く赤い星アンタレス。そこから下にS字を描くのがさそりの尾です。その尾の先にあるひしゃくの形に並ぶ星が南斗六星のいて座です。

その上には、七夕の星、牽牛（アルタイル）と織女（ベガ）が、天の川をはさんで輝いています。その先には、はくちょう座のデネブが見え

ます。この三つの星をつなぐ三角形が「夏の大三角」で、「乙女のダイヤ」ともよばれます。

石垣島では、「南の島の星まつり」が開催されます。宮沢賢治の「銀河鉄道の夜」は、「星祭」「銀河のお祭り」の日から始まります。北十字のはくちょう座から、南十字のみなみじゅうじ座まで、天の川にそっての旅です。ジョバンニとカムパネルラの「本当のさいわい」を探す旅を思い浮かべ、夏の星空を眺めてみましょう。

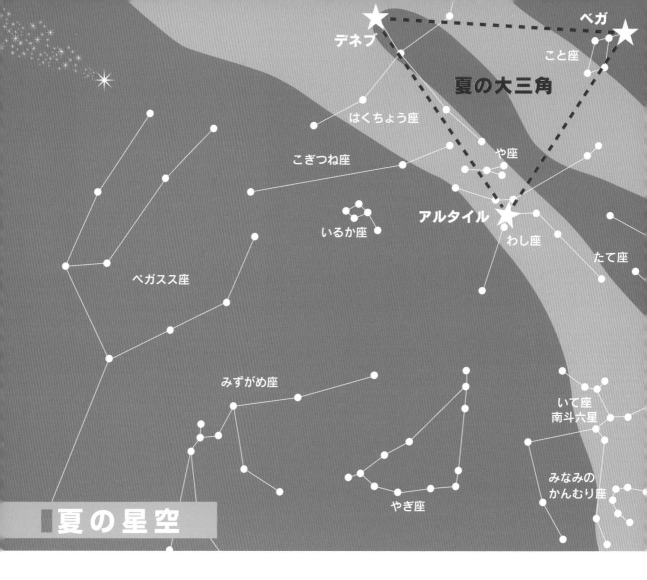

デネブ

ベガ

こと座

夏の大三角

はくちょう座

こぎつね座

や座

いるか座

アルタイル

わし座

ペガスス座

たて座

みずがめ座

いて座
南斗六星

みなみの
かんむり座

やぎ座

▌夏の星空

● 日本でもっとも長い天の川

　沖縄では、国内で最も長い天の川が、1年中見られます。西欧では、ミルクを流したように見えるので、ミルキーウェイ(Milkyway)とよばれ、沖縄では夜空に流れる川のように見え、「てぃんがーら（天の川）」とよばれます。

　夏は、晴天が多いので南の水平線から北の水平線まで、天空を横切る天の川が見られ、大川（うーがー）ともよばれます。

　七夕の星、彦星（わし座のアルタイル）、織

姫星（こと座のベガ）は、沖縄では「うやき星」とよんでいます。

　天の川を二分して、中州のように中央部に細長く伸びる暗黒星雲も見られます。このあたりが私たちの銀河系の中心部で、いて座（南斗六星）が見え、その南の水平線の上には「みなみのかんむり座」があります。

● 銀河鉄道の夜の星々

　宮沢賢治の童話「銀河鉄道の夜」は、「銀河

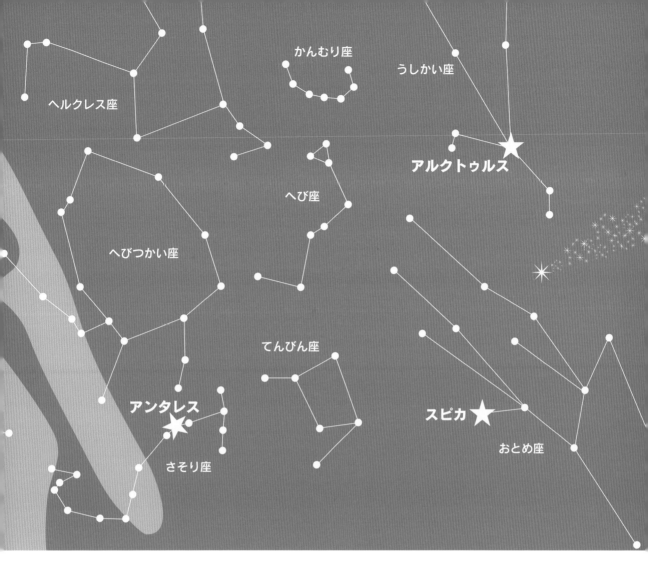

かんむり座

うしかい座

ヘルクレス座

へび座

アルクトゥルス

へびつかい座

てんびん座

アンタレス

スピカ

さそり座

おとめ座

ステーション」で夜の軽便鉄道に乗った二人の少年ジョバンニとカムパネルラが、天の川に添って「白鳥の停車場」から、赤く燃えるさそり座の星（アンタレス）を通り、「南十字（サウザンクロス）駅」まで旅するお話です。

　沖縄ではこの物語に出てくる星々をすべて見ることができるのです。宮沢賢治は、終着駅の南十字星を見ることなく亡くなりました。賢治の見たかった「銀河鉄道の夜」の星空をぜひ楽しんでください。

デネブ

アルビレオ

はくちょう座

石垣島平久保のサガリバナと天の川、さそり座、木星、土星

南の空、北の空

南の空

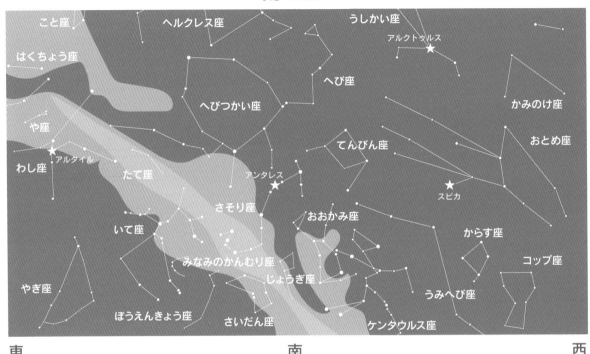

こと座　ヘルクレス座　うしかい座
アルクトゥルス
はくちょう座
へび座
かみのけ座
へびつかい座
や座
おとめ座
アルタイル
てんびん座
わし座
たて座
アンタレス
スピカ
さそり座
おおかみ座
いて座
からす座
みなみのかんむり座
コップ座
じょうぎ座
やぎ座
うみへび座
ぼうえんきょう座
さいだん座
ケンタウルス座

東　　　　　　　南　　　　　　　西

■ 夏の星座　南にさそり座、北にりゅう座

　ハーリー（海神祭）が始まる夏至のころには、南十字星が南の水平線に沈んでゆき、かわって南から北へと流れる天の川が見え始めます。梅雨明けの早い沖縄の夏は、晴天率も良く、天の川を楽しむには最高の季節です。

　冬の星座の代表がオリオン座なら、夏の星座の代表はさそり座です。南の空で、国内で最も高く赤く輝いているのが、さそり座の1等星アンタレスです。宮沢賢治は「銀河鉄道の夜」の中で、その美しさを「ルビーよりも赤くす

きとおりリチウムよりもうつくしく」と賞賛しています。さそりの心臓ともいわれ、中国では「心宿」とよばれ、28宿（にじゅうはっしゅく）の一つになっています。

　アンタレスの右上に四つ星が並んでいるのがさそりの頭の部分で、そこから伸ばしたハサミのように見えるのが、てんびん座です。アンタレスと両側の二つの星を合わせた三つ星が、重い荷物を担いだ天秤棒に見立てて、「かごかつぎ」星という和名があります。

北の空

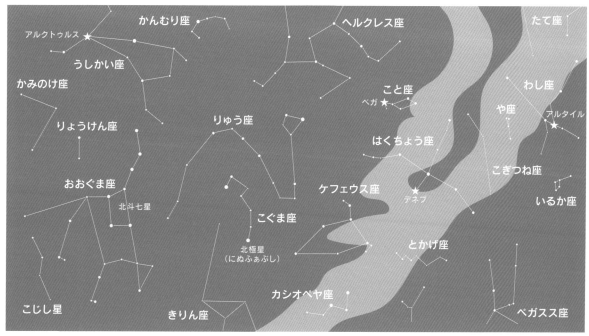

かんむり座

ヘルクレス座

たて座

アルクトゥルス

うしかい座

こと座

わし座

ベガ

や座

かみのけ座

アルタイル

りょうけん座

りゅう座

はくちょう座

こぎつね座

おおぐま座

ケフェウス座

いるか座

北斗七星

こぐま座

デネブ

北極星
（にぬふぁぶし）

とかげ座

こじし星

きりん座

カシオペヤ座

ペガスス座

西　　　　　　　北　　　　　　　東

　頭とは逆の方向に明るい星がS字カーブを描くように星が並んでいるのが、さそりのしっぽです。毒針の根元の二つ星は、意外と明るく暗闇に光る「猫の目」ともいわれます。

　りゅう座は暗い星座ですが、夏は北極星、こぐま座を取り囲むようにして、上方（北）にあるので、探してみると良いでしょう。

　天の川とその両側に並ぶ星々を眺めていると流れ星も数多くみられます。沖縄の夏は楽しい星の季節です。

宮古島の来間大橋と天の川

■ さそり座の話

夏の代表的な星座ですね。星座の本の多くでは「夏の南の空に横たわって見える」と紹介されていますが、梅雨明けの早い沖縄では、ハーリー（海神祭）が終わる6月末から、天に昇る大きな竜のような、さそり座を見ることができます。

● 火星と赤さを競う

アンタレスは、アラビア語で「火星と競う」という意味で、どちらの星が赤いか比べっこをしています。

アンタレスは年老いた星（晩期型星）でエネルギーを使い果たして赤く輝いていますが、火星は惑星で、表面が酸化鉄（赤錆）なので太陽に照らされ赤く見えています。

時々、火星はさそり座に近づいて見えます。その時地球に近ければ、アンタレスの数倍も赤く明るく見えます。昔から、星が赤さを競うこんな情景が繰り返し見られたでしょう。

● 釣り針の星で帰宅をよびかけ

ポリネシアなど太平洋の島々では、さそり座の形から釣り針星とよんでいます。沖縄でも「いゆちゃぶし」（釣り針の星）とよんでいるところがあります。

昔は、夏の夕方遅くまで子供が外で遊んでいると「もうお家に帰らないと、いゆちゃぶしに首根っこを引っ掛けられて、天に持っていかれるよ！」と、帰宅をよびかけたそうです。

● 酔っ払いのオジイのウナギ釣り

赤い星、アンタレスを波照間島では、泡盛を呑んで顔を赤くしているオジイということで、「びたこりぶし」（酔っ払い星）とよんでいます。

このオジイは、夜な夜な天の川の下流で、ウナギ釣りをしているそうです。たしかに、天の川の帯の中心には暗黒星雲が筋状に伸びてウナギに見え、S字の形をしたさそり座のアンタレスからの下半分は釣り針のようで、天の川に降ろされていますね。

島の人たちは、夕ご飯が終わると縁側で、「今夜もオジイは、ウナギが釣れるかなぁ」と天の川を眺めていたそうです。

● 参商之隔（さんしょうのへだて）

ギリシャ神話で、オリオンはさそりの毒針に刺されて死んでしまいます。このため、さそり座が東から昇ってくると、オリオン座はさそりを嫌って、逃げるように西に沈んでいきます。

中国でも、王様が二人の兄弟に、参（オリオン座）と商（さそり座）の星をあてがうのですが、兄弟は仲が悪くいっしょに会うことがなかったそうです。このことから、中国では、会うことを嫌がり難しいことを意味する「参商之隔」「参商会わず」ということわざが生まれました。

40

アンタレス
（びたこりぶし）

てぃんがーら
（天の川）

さそり座
（いゆちゃぶし）

南斗六星
いて座

デネブ
（はくちょう座）

織姫
ベガ
（こと座）

アルビレオ

夏の大三角

彦星
アルタイル
（わし座）

てぃんがーら
（天の川）

南斗六星
（いて座）

■七夕の星とてぃんがーら(天の川)

七夕伝説は、中国から伝わったお話で、少しずつ形を変えて日本全国に伝わっています。沖縄の島々でもいろんなお話が受け継がれていて、織姫と彦星の話ではなく、お姉さんと弟のお話になったりしています。

こと座のベガの横には、4個の星が四角に並んでいます。お姉さんの機織りの糸巻きですが、時々3個しか見えないことがあります。これは、弟が糸巻を壊したからです。

天の王様は、謝りもせず、川の向こう岸に牛を連れていった弟を懲らしめようと、川を氾濫させ戻れなくしました。

姉と弟は天の川の両岸に分かれて暮らすことになりました。しかし天の王様が可哀そうだと、年に一度は会わせてくれることになり、その日が七夕というお話です。

また、大きな瓜を割ってしまい、流れ出した汁が天の川を作ったというお話もあります。

夏の夜は沖縄の島々で、「てぃんがーら(天の川)」にまつわるいろんなお話を聞きながら眺めてみましょう。

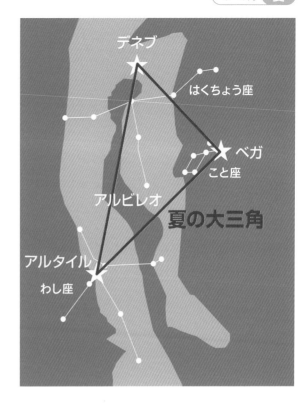

● 夏の大三角

夏の星空を眺めると明るい三つの星が三角形に並んでいるのが見えます。織姫星(こと座のベガ)、彦星(わし座のアルタイル)、そしてはくちょう座のデネブをつなぐと「夏の大三角」になります。織姫星と彦星の間に白い雲のように見えているのが「てぃんがーら(天の川)」です。

● 天上の宝石、アルビレオ

宮沢賢治の「銀河鉄道の夜」で、ジョバンニとカムパネルラの二人が出発してすぐに見たのが「アルビレオの観測所」です。はくちょう座のくちばしのアルビレオの美しさに感動した賢治は、「目もさめるような、青宝玉(サファイア)と黄玉(トパーズ)」と紹介しています。

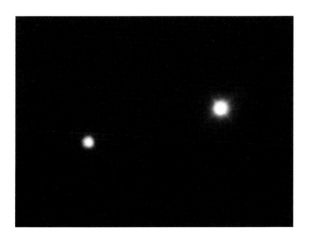

■南の島の星まつり

2002年に石垣島に国立天文台が、口径20mの電波望遠鏡を備えるVERA（ベラ）石垣島局を設置したのをきっかけに始まったのが「南の島の星まつり」です。

国立天文台は、前年に「伝統的七夕キャンペーン」をおこないました。これは、新暦の7月7日に七夕まつりをしても、本州などは梅雨の真っ最中で、星空が見えません。

そこで、国立天文台では、「日本の伝統的な行事である七夕は、梅雨も明けた旧暦の7月7日にし、できれば街の明かりを1時間消して、みんなで天の川を見ましょう」とよびかけました。マスコミも全国的に大きく取り上げてくれましたが、夏が終わってみるとどこも実施でき

ていませんでした。

このお話を2002年のVERA観測局完成の際に石垣市長にお話をしたところ、「石垣島でやってみよう」ということになり、市民のみなさんの協力も得て始まったのがこのイベントです。

最初は「星空を見るだけで人は集まるのか」と、言われたのですが、開催してみると3000人の方が集まり、ライトダウンと同時に街の上によみがえった天の川に拍手と歓声が起こりました。

今や星のイベントとしては全国最大となり、1万人前後の方が集まり、天の川を楽しむイベントになっています。

写真は2015年の南の島の星まつり。これまでで最高の星空が広がり、天の川もはっきりと見えました

44

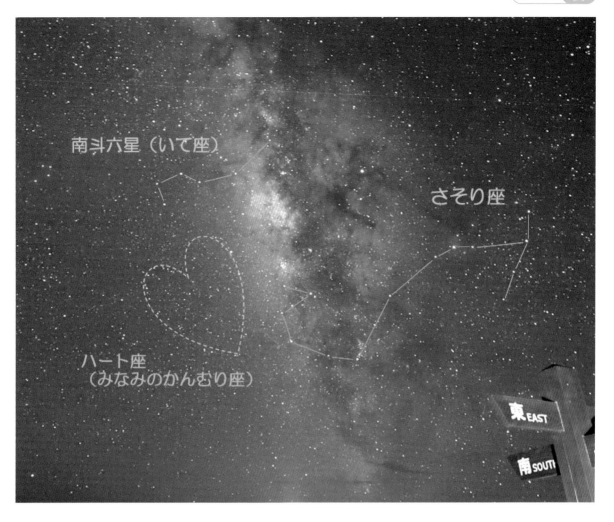

南斗六星（いて座）

さそり座

ハート座
（みなみのかんむり座）

東EAST

南SOUTH

● 南のななつ星とハート星

　「南のななつ星」は、いて座の一部で、「南斗六星」ともよばれています。「むりかぶしゆんた」で謡われている天の王様の命令を断り南の空に追いやられた星ともいわれています。星座の結び方は、いろいろで、いて座を左の図のようにむすんで、ティーポットともよばれます。

　「いて座」の下にあるのが、みなみのかんむり座で、このようにハートの形に結ぶことができ、最近は「ハート座」とよんで、若い方に親しまれるようになってきました。

45

● みなみのかんむり座
丸く並んだ美しい星座

夏の観察会で、天の川を案内していると、よく「いて座の下の丸い星の並びは星座ですか」と、聞かれます。本当にきれいな丸い形に星々が並んでいます。

「かんむり座」に良く似ていて、その名も「みなみのかんむり座」です。いて座の傍にあるので「射手の冠」とよばれたりします。

暗い星座ですが、沖縄では空気が澄んでいて高い位置で見られるので、人気のある美しい星座です。

画像の黄色い線のように半円の形で、紹介されますが、元々は、14個の星が丸い形に並ぶ星座でした。

中国でも、この図のように丸く結ぶと亀の甲羅のように見えるので「鼈(スッポン)」の星座名があります。

そういわれてみると、八重山地方に生息するヤエヤマセマルハコガメによく似ていますね。

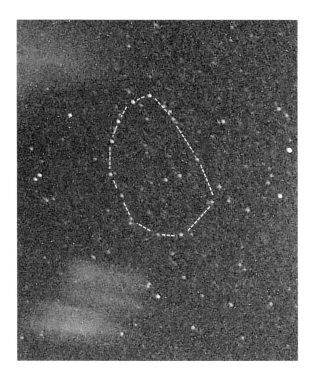

ヤエヤマセマルハコガメ（国の天然記念物）

46

● さいだん座
さそり座の尾の下の星座

　さそり座の尾の下方に目を移すと、「さいだん座」があります。南の星座で、本州では一部しか見えませんが、沖縄では全体を見ることができます。祭壇には、神様への供え物が飾られますが、さいだん座の星図では、ケンタウルスが獲らえた狼が生贄として、ささげられた形になっています。残念ながら、日本から見ると上下がひっくり返った形になっています。

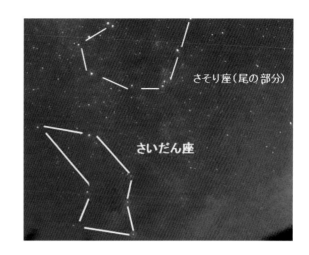

● リング星雲　M57

　こと座にある惑星状星雲で、ドーナッツ状の形をしていることから、「リング星雲」「環状星雲」ともよばれています。

　織女（ベガ）の機織（四角形の星の並び）の中にあり、小型の望遠鏡でも探しやすく、天文ファンに人気の星雲です。

　地球から2300光年の距離にあり、リング状に広がるガスが中心星からの紫外線を受けて、内側では青く、外側では赤色に輝いています。

　沖縄の星空の良さと「むりかぶし望遠鏡」の性能が合わさって、中心星や広がるガスの濃淡もはっきりとよく見えています。

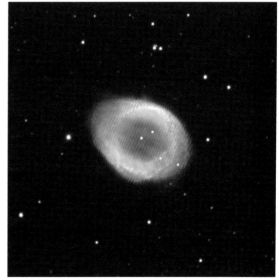

© 石垣島天文台

47

野底マーペーとついんだら節

黒島の娘マーペーとカニムイは、幼いころから仲良しで、愛し合っていました。

ある日、琉球王朝からの命令で、道を境に島人の半分が石垣島の野底に強制移住させられることになりました。

野底に移住させられたマーペーは、カニムイを想い、村にそびえる野底岳の山の上からなら、故郷の黒島が見えるかもしれないと、病弱な身体をおして登ります。

ところが、頂上にたどり着いてみると、目の前には於茂登岳が立ちはだかっていて、黒島は望めませんでした。

山に登ったまま帰ってこないマーペーを案じて、村人が探しにいってみると、山頂には、マーペーが泣き崩れた姿のままで岩になっていました。

それからは、誰ともなく野底岳を「野底マーペー」とよぶようになったそうです。

そして、この悲恋な物語がいつしか歌となって、歌い継がれているのが「ついんだら節」です。

この歌には、

　天からぬぴきめうる
　おやき星でいそかや
　ならぶれば定めうり
　いかゆんでどしかりる
　とばらまと我とや
　ふれさたいかひ見な

と、「七夕の星『おやき星（織女と牽牛）』」ですら、1年に一度は会えるというのに、私たちはどうして会うことが許されないのでしょうか」と、星を羨む二人の想いが込められています。

野底村は、その後廃村になり、黒島出身者がいなくなりましたが、最近ではこの地域の人たちで「ついんだら祭り」が開催され、黒島からも島人が駆けつけ、この歌も歌われています。

織女星
（ベガ、こと座） ←------ **おやき星**

てぃんがーら
（天の川）

夏の大三角

デネブ
（はくちょう座）

牽牛星
（アルタイル、わし座）

野底マーペー

サトウキビ畑の向こうにそびえる野底マーペー。「石垣島のマッターホルン」ともいわれています

秋の星空

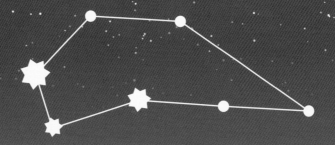

　季節感のない沖縄ですが、新北風（みーにし）の涼しい風が流れるようになれば、秋ということでしょうか。八重山では、この風を白北風（すさにす）ともよぶようです。

　秋の空は透明度も良くなり、星ぼしは明るさを増し、月はこうこうと輝き、一段と清らかに見えます。仲秋の名月の季節です。

　11月には、しし座流星群が出現します。2001年は、日本中で大騒ぎになりましたが、夜明けの遅い沖縄では、前年の明け方にもたくさん見えたそうです。

　明るい星の少ない季節といわれますが、「南のひとつ星」とよばれるフォーマルハウトが南の空に輝き、その左下には、本土では見えない1等星アケルナルも見ることができます。真上には四角形に並んだ星、ペガサス座が見え、西の空には、ベガが沈もうとしていますが、東からはカペラが入れ替わるように昇ってきます。沖縄では、秋の星空も十分楽しめるのです。

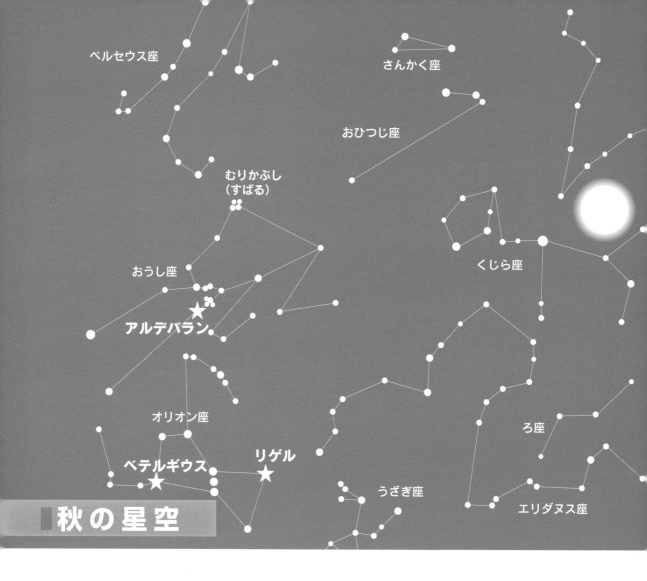

ペルセウス座

さんかく座

おひつじ座

むりかぶし
（すばる）

おうし座

くじら座

アルデバラン

オリオン座

ろ座

ベテルギウス　　リゲル

うさぎ座

エリダヌス座

秋の星空

　秋になると明るい星が少なくなり、ちょっと寂しい星空になりますね。星座の本を見ると「秋のひとつ星」と紹介されているのが、みなみのうお座の1等星、フォーマルハウトです。星座図では、魚の口にあたるところにあり、みずがめ座の瓶から流れ落ちるお酒を飲んでいる姿が描かれています。

　中国では長安の都の守り「北落師門（ほくらくしもん）」の名で良く知られた星です。

　沖縄では、もうひとつ1等星を見ることが

できます。みなみのうお座が西に傾く頃、南の水平線の上に輝くのが、エリダヌス座の1等星アケルナルです。この星で21個の1等星をすべて見たことになります。

　沖縄での星空案内では、「秋はひとつ星で寂しくなります」などと言わず、「秋になっても島では、二つの1等星が輝いているので、ぜひ二人で見に来てくださいね」と紹介しましょう。

　アケルナルとは、エジプト語でナイル川の

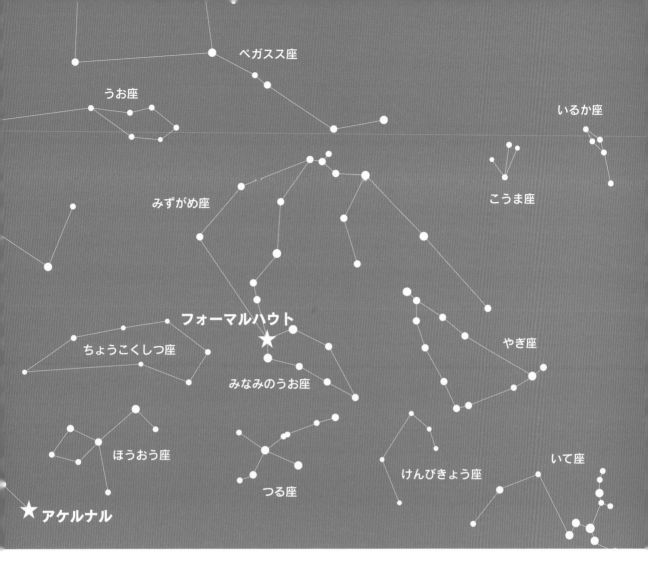

ペガスス座

うお座

いるか座

みずがめ座

こうま座

フォーマルハウト

ちょうこくしつ座

みなみのうお座

やぎ座

ほうおう座

けんびきょう座

いて座

つる座

アケルナル

「川の果て」という意味です。エリダネス座
は、別名「川の星」で、オリオン座から伸びる
長い星座の端っこで輝く1等星です。

● 中秋の名月、つる座、やぎ座

　秋はやはり中秋の名月ですね。十三夜の月
も楽しみましょう。明るい星座ではないです
が、沖縄ではつる座の全体が見られ、やぎ座
も高くはっきりと見えます。わかりやすい形
なので、ぜひ見てみましょう。

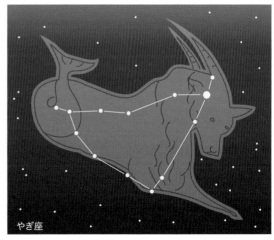

やぎ座

小浜島の星空、フォーマルハウトとアケルナル

南の空、北の空

南の空

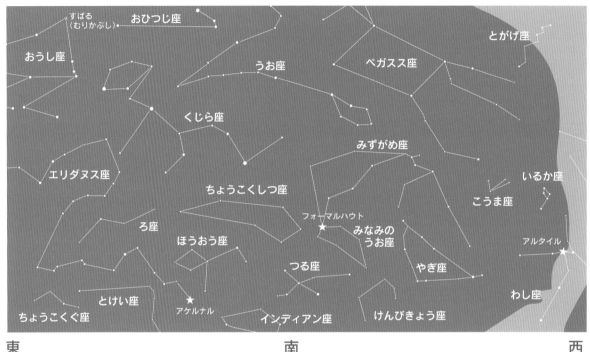

東　　　　　　　　　南　　　　　　　　　西

▌秋のふたつ星、中秋の名月

　涼しくなった夜空に夏の大三角が西に傾き、サトウキビ畑の上に見えます。こと座のベガ、わし座のアルタイル、はくちょう座のデネブが、大きな直角三角形のようです。

　三角形といえば、やぎ座もはっきりと見えてきて、観望会ではよく「パンツのように見えますね」と笑いをとったりします。

　南の水平線上には、つる座の全体を見ることができ、沖縄でこそ見られる1等星のアケルナルも見えれば、大感動ですね。

　北の空に目をやると北斗七星が見えなくなっています。季節によって星が見えなくなることを沖縄では「よどむ」といいます。

　北極星を探す星座は、夏の間「よどむ」状態だったカシオペヤ座にバトンタッチです。

　そして真上には、大きな「秋の大四辺形」ペガスス座が見えてきます。

　11月には、流星雨で知られるしし座流星群も見られます。夜も過ごしやすく、星空を眺めるには良い季節ですね。

北の空

こうま座
いるか座
わし座
こぎつね座
とがけ座
アンドロメダ座
さんかく座
おひつじ座
アルタイル
デネブ
や座
はくちょう座
カシオペヤ座
ペルセウス座
すばる
（むりかぶし）
こと座　ベガ
ケフェウス座
北極星
（にぬふぁぶし）
きりん座
おうし座
こぐま座
カペラ
アルデバラン
ヘルクレス座
りゅう座
ぎょしゃ座

西　　　　　　　　　北　　　　　　　　　東

● 月を愛でる

　秋は、中秋の名月です。沖縄では「月ぬ美しゃ」の十三夜の月ですね。空気も澄んで空高く昇ってくる月の鑑賞には最適な季節です。

　三日月から上弦にむかう月の陰の部分がうっすらと見えるときがあります。太陽の光が地球に反射して月の陰を照らす「地球照」が良く見られます。毎日変わる月の形を楽しむのにも良い季節です。

地球照の月

フォーマルハウト

アケルナル

▌沖縄の秋のふたつ星

　秋の星空は、星の数が少なくなったように思え寂しい気持ちになってしまいます。それは確かに南の空に見える1等星の数がみなみのうお座のフォーマルハウトだけになってしまうからです。一般の星座の本でも、フォーマルハウトは「秋のひとつ星」と紹介されています。

　でも、よく見てみましょう。フォーマルハウトが西の空に傾くと、もうひとつ明るい星が、南の水平線の上に上ってきます。エリダネス座の1等星アケルナルです。

　新年から一年を通じて、21個の1等星を探してこられた方には、やっと21個目の1等星に出会えることになります。1月から見えるようになる南十字星の十字の頂点のγ星と同じ高さになるので、この位置を覚えておきましょう。

　沖縄の秋には、星空に輝く二つの1等星を、二人で探して楽しむのもよいでしょう。

みずがめ座

くじら座

火星

やぎ座

みなみのうお座

フォーマルハウト ➡

エリダネス座

ほうおう座

つる座

◀ アケルナル

● しし座流星群

多くの流星群の中で、最も良く知られているのは「しし座流星群」(11月5日〜25日)でしょう。見頃が深夜から夜明けになるので、東京と比べて夜明けが、1時間も遅くしし座も空高く見える沖縄は観測に有利です。

実際、2001年に全国で大流星群が見られましたが、八重山地方では前年の2000年の明け方にたくさんの流星が見られたそうです。

しし座流星群は、冬の11月18〜19日頃が極大で、夏のペルセウス座流星群(三大流星群)と合せ人気のある流星群です。33年ごとに大出現があり、2001年の大出現は一晩中見られました。

2001年のしし座流星群(約80分間の合成。撮影:川添晃)

57

北極星を探して、方角を知ろう

北極星のことを沖縄では、「にぬふぁぶし」とよびます。沖縄民謡の「てぃんさぐぬ花」でも、

「夜（ゆる）はらす舟（ふに）や　にぬふぁぶしみあてい、
我（わん）なちぇる親（うや）や　我どぅみあてい

（夜、航海する船は、北極星を目印にします。

私を産んでくれた親は、私の目標です）」と歌われ、とても親しまれている星座です。

星空を観察するには、まず北の方角を知ることです。北極星の位置を調べて方角を知りましょう。ただ、北極星は2等星の1個の星なので簡単ではないですね。

そこで、目印になるのが柄杓（ひしゃく）の形に星が並んだ北斗七星（おおぐま座）と、「W」の形に星が並んだカシオペヤ座です。この二つの星形は、しっかり憶えておきましょう。

この二つの星座を使って、北極星の位置を探す方法を、下記の図に示しました。水平線から北極星までの角度は、

観測している場所の緯度を示すことになりますから、那覇だと26度、八重山諸島だと24度になります。

北斗七星、北極星、カシオペヤ座が分かったら、しばらく眺めてみましょう。北極星を中心に反時計回りに回っているのが分かります。

大航海時代、船乗りたちは、この星の動きから時刻を知ることができたので、「北の空の大時計」とよんでいたそうです。

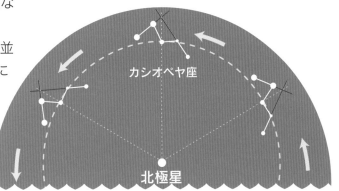

「W型」のカシオペヤは、沖縄では水平線の下になるので見えません。「M型」で見えます。

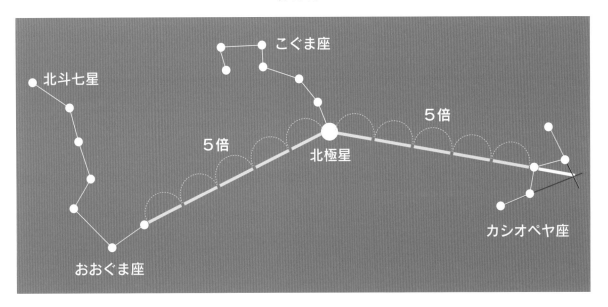

● カシオペヤ座

　星空ガイドの本などでは、カシオペヤ座は、「W字の形」をしていると書かれています。でも、沖縄では「M字の形」です。

　カシオペヤ座を見つけたら、その周りをしばらく見てみましょう。周りが薄らと白い雲がかかっているように見えますね。

　これは、冬の天の川で、カシオペヤ座はその中にあるのです。

　さらに周りを見てみると、細長い星雲が見えます。私たちの銀河系（天の川銀河）の兄弟になるアンドロメダ銀河です。230万光年先にありますが、肉眼で見られます。40億年後には銀河系と衝突するといわれています。

　北斗七星やカシオペヤ座など、北の空の星は北極星の周りを回っていますが、沖縄では北極星が低いので、北斗七星やカシオペヤ座は、北の水平線の下に沈んでしまい見えない季節があります。

銀河系からもっとも近いアンドロメダ銀河。地球から230万光年。　Ⓒ国立天文台

　北極星の下を通るのを「下方通過」といい、北海道などでは、北斗七星が年中見られます。

　北斗七星とカシオペヤ座は、北極星を挟んで反対側にあるので、どちらかが見えているので、この二つの星座から、北の方角を見つけましょう。

　秋から冬になると、沖縄でも気温が15度前後まで下がります。観察するときは、温かい服装をして出かけましょう。

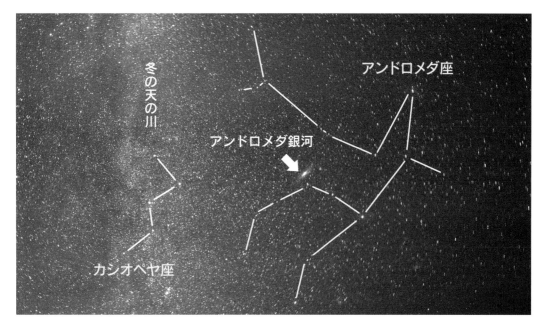

冬の天の川

アンドロメダ座

アンドロメダ銀河

カシオペヤ座

■ペガスス座

秋の星空で、まず目立つのは大きな四角形をした「ペガススの四角形」です。空の真上に大きな柄杓の形をしていますが、星座図では、馬の胴体から頭の部分と前足が描かれています。柄杓の柄の部分は、アンドロメダ座なのです。

大きな四角形で目立つ星ですから、沖縄でも古くから良く観察されていて、古文書「星圖」に描かれている「大ヨチヤ星」が、ペガスス座ではないかといわれています。

また、波照間島に伝わる民話「あばあみ（油雨）」の中に出てくる「ゆつあしぃ（四辺形星）」は、この星の形からよばれています。

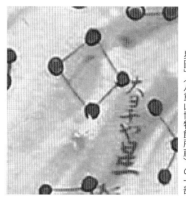

「星圖」（八重山博物館所蔵）の一部

●「あばあみ（油雨）」の伝説

昔、波照間島では、人口がどんどん増えて、土地や食べ物が足りなくなり、悪いことをする人がいっぱいになってきました。そこで、天の神様がこれではいけないと、火が燃える油雨を降らしました。

この時、神様は、心の優しい女の子と男の子を海岸の岩穴に隠してあげました。島は焼き尽くされましたが、この二人は生き残りました。

二人は、岩穴で大きくなって、子供を作りましたが、最初の子供は毒をもったボーズ（ミノカサゴ）でした。これではいけないと今度は畑のそばに石を積んだ片屋根の家を作りました。しかし、そこで生まれた子供は毒をもったムカデでした。

二人は悲しんで、神様に「人間の子供を生まれるようにしてください」とお願いをしました。すると、秋の夜の晴れ上がった空にゆつあしぃ（四辺形星）がひときわ明るく輝きました。二人は、「この星のように四つの角のある家を作らなければ」と、四隅に柱をたてて、刈ってきた茅で屋根を作りました。

そこで、初めて人間の女の子供が生まれました。それから波照間島は、栄えたということです。この女の子はずっと長生きをし、新生（あらまり）ぬぱー（婆）と呼ばれました。

今でも、新しい家を作った晩には、ゆつあしぃ（四辺形星）が謡いこまれた「ひーすくりじらば」が謡われるそうです。

〈ひーすくり　じらば〉

ゆつぁしぃてそー	四辺形星を
やーなうーばし	元にして
やーばちくーり	家をつくった
あんちょー	そうな
うりやみょーなちゃ	
	それは喜ばしいことよ

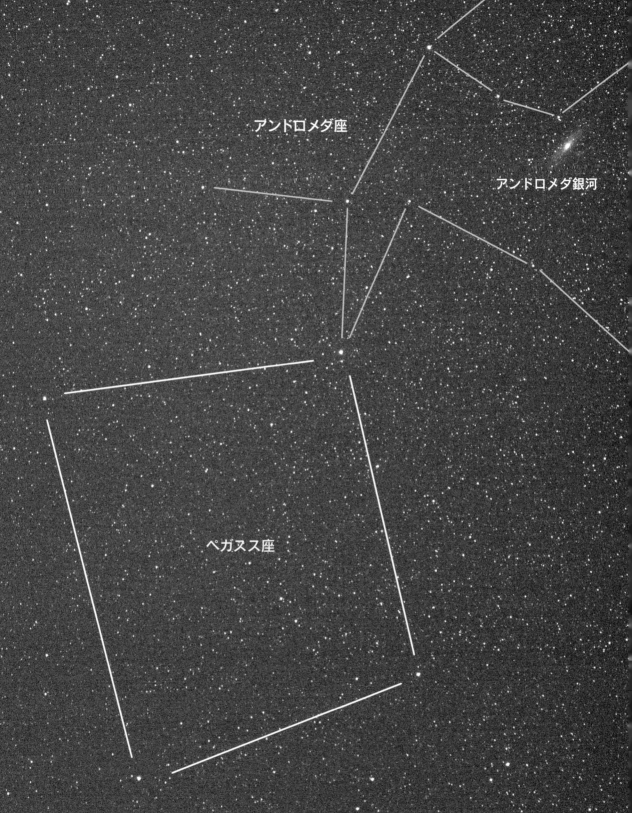
アンドロメダ座

アンドロメダ銀河

ペガスス座

月の観察

晴れの海
危機の海
静かの海
氷の海
豊穣の海
雨の海
神酒の海
蒸気の海
コペルニクス
嵐の大洋
ティコ
湿りの海
雲の海

中秋の名月

　万葉の和歌に「月々に月見る月は多けれど月見る月はこの月の月（よみ人知らず）」と詠（うた）われたのが、「中秋の名月」で、日本人には、とても親しまれています。

　旧暦（太陰暦）では、秋は7、8、9月なので、秋の真ん中の8月の満月が、中秋の名月とされてきました。天文学的には、月齢15.0を満月としていますので、旧暦の8月15日の中秋から1日ほど前後することがあります。月齢のわかるカレンダーで調べてみましょう。

　沖縄では、満月を「うふづき（大月）」とよ

び、中秋には「ふちゃぎ餅」を供える月見の行事が継承されている地域があります。

　月を眺めると明るい部分と暗い部分が見えますが、昔は暗い部分は「クレーター」で、地球の海のようなものがあると思い、「海」の名前が付けられています。

　1969年に、人類が初めて月に降り立ったのは、「静かの海」とよばれる場所です。月でお餅をついているといわれているウサギさんの頭になるところのクレーターです。

　「海」は、太古の火山活動や隕石の落下でできた平らな部分で、白く輝く部分は「山」とよばれ、岩でできた地形です。

● 十三夜の月

　沖縄では、満月よりは十三夜の月を愛でる八重山古謡「月ぬ美しゃ」が有名です。

　「月ぬ美（かい）しゃ十日三日（とうかみいか）
　女童（みやらび）美しゃ十七（とうなな）つ」
（月の美しいのは十五夜でなく十三夜、娘の美しいのは二十歳でなく十七歳）と、始まり後段の歌詞では、「その優しい平和な月の光で八重山、沖縄、世界を照らしてください」と謡われています。

　旧暦9月13日の「十三夜の月」は、「後（のち）の月」といわれ、「中秋の名月」と合せ、「二夜（ふたよ）の月」として鑑賞するのが、古来からの月を愛でる「お月見」行事なのです。

　秋の夜長は、美しいお月様を楽しみましょう。

● 月の満ち欠け

　月は地球を回りながら半分は太陽に照らされていますが、地球から見ると月の照らされている部分の形が変化してみえます。太陽ー月ー地球と並ぶと新月に、太陽ー地球ー月と並ぶと満月になります。

下弦

二十六日月

東側が
少し照ら
されている

東側半分が
明るい

満月
十五夜の月

朝方

昼 地球 夜

前面が
明るい

太陽の光

新月

夕方

十三夜の月

西側半分が
明るい

三日月

西側が少し
照らされている

上弦

地球から離れると
少し小さく見える

地球に接近した時には、
大きく見える

● スーパームーン

　最も地球に近づいた時の満月。地球を回る月の軌道は、楕円（だえん）の形になっているため、図のように地球に近い時と遠い時があり、見える大きさが少し変化します。

大きい月（スーパームーン）は、小さな月と比べ、14%ほど大きく、30%ほど明るく見えます。

上弦の月、下弦の月

「半月の月を上弦の月、下弦の月って、どうやって見分けるのですか」って良く聞かれます。「月を見たとき、弓の弦が上にあるように見えるのが上弦です」と答えている方がいますが、そうではありません。

月が半月になるのは、一ヶ月に2回あります。夕方西の空でも、明け方東の空でも、弦が上になった半月が見えます。どちらが、本当の「上弦の月」でしょうか。

夕方の西の空に弦が上になる半月を「上弦の月」、明け方に東の空で弦が上になる半月を「下弦の月」とよびます。

新月から満月になってゆく途中の半月が「上弦の月」、満月から新月になってゆく途中の半月が「下弦の月」です。

満月を山の頂上と思って、上りの月を「上弦の月」、下りの月を「下弦の月」と覚えておくと良いでしょう。

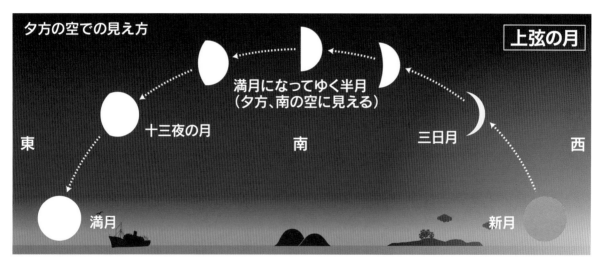

夕方の空での見え方　　　上弦の月

満月になってゆく半月
（夕方、南の空に見える）

東　　十三夜の月　　　南　　　三日月　　　西

満月　　　　　　　　　　　　　　新月

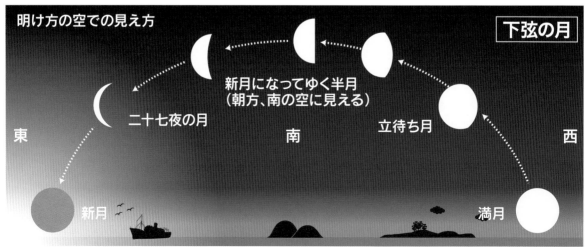

明け方の空での見え方　　　下弦の月

新月になってゆく半月
（朝方、南の空に見える）

東　　二十七夜の月　　　南　　立待ち月　　　西

新月　　　　　　　　　　　　　　満月

赤銅色の月、月食を見よう

太陽ー地球ー月が、ほぼ一直線に並んだ時が満月ですが、年に1〜2回地球の影の中に月がすっぽりと入り込む時があります。

これが、月食です。影は真っ暗でなく、太陽の赤い光が回り込んでいるので、月はきれいな赤銅色に染まります。

本影に月の全体が入ると皆既月食（本影食）、一部だけ影がかかると部分月食になります。影が月にかかってくるようすを見ると、影が丸くなっていて、地球が丸いことがわかります。

満月なのに、急に少し暗くて赤くなってきてから、月食に気づくことがあります。珍しい現象なので予定表にいれておきましょう。

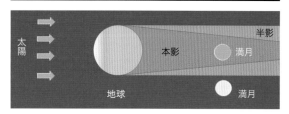

月虹…月の明かりでできる虹

太陽の光を反射して輝く月ですが、雨上がりなどに、月明かりで虹が見えることがあります。ムーンボウともよばれます。

満月やその前後の夜に、月を背にして夜空をみると白い光のアーチが見えます。よく見ると月の明かりでできた虹で、写真に撮ると七色の虹がはっきりとわかります。

中国では、白い龍が空を飛んでいると思われていました。沖縄の空の良さが、こんな現象もみせてくれます。

雨だからとあきらめないで、月が出てきたら月虹が見えないか、探してみましょう。

▍針突（はじち、沖縄の入墨）にも、月や星

　沖縄では、明治32年に入墨禁止令が出るまで、針突（はじち）、手突（てぃつき）とよばれる入墨を、結婚適齢期の女性におこなう風習が残っていました。

　結婚の約束をかわすと左右の手の甲に入墨をし、主人への貞節、生涯再婚をしないという約束の証にされたそうです。

　また、遠くの海で暴風雨に遭遇し、人喰人（ひとくいじん）の島に漂着して危険な状態になったとき、手に入墨をした女性が現れ、座礁した船を岩から離して助けてくれたため、この恩を忘れないために、島の女性に入れ墨をすることになったともいわれています。

　理由はわかりませんが、模様には「星（ぶし）」の名前もあります。指にある鏃（やじり）の模様は「指星（ゆびぶし）」、点状の文様は「星の印（ぷすがま、ぶすがま）」、右手の手首の四角形の小さな五つの模様は「五星（いちちぶし）」、手の甲の中央の円形は「丸星（まるぶし）」とよばれ、「お月様（ちぃきんかなし）」を表しているようです。

沖縄の針突（はじち）の例

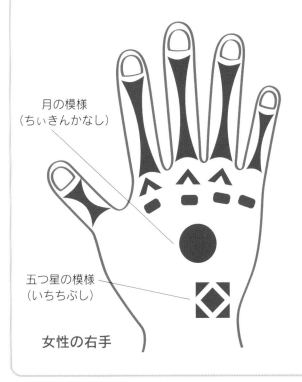

月の模様
（ちぃきんかなし）

五つ星の模様
（いちちぶし）

女性の右手

多良間の針突（はじち）の例

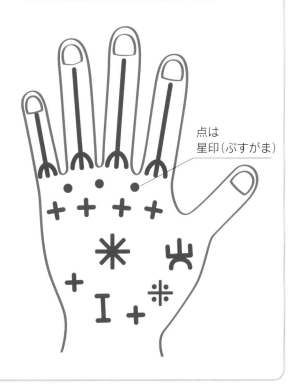

点は
星印（ぷすがま）

冬の星空

　沖縄の冬は、女性にとっては「おしゃれの季節」のようです。亜熱帯の沖縄では、マフラーやコート、ブーツなどを身につけるチャンスがあまりないからでしょうか。

　星空も、もっとも華やぐ季節です。星座は、オリオン座、おうし座、こいぬ座、ふたご座、ぎょしゃ座などが、イルミネーションのように美しく輝きます。全天で最も明るい星シリウスと夏の第三角を形どるベテルギウス、プロキオンなど、多くの1等星たちも輝いていま

す。長寿の星カノープスも、沖縄では余裕をもって南の空に見ることができます。

　そして、何といっても沖縄の星、むりかぶし（群星：すばる）が、ゆんたに謡われているように、天の真上を青白く輝きながら通り、島々を守ってくれています。

　暖かい沖縄では、1等星がたくさん輝くこのすばらしい星空を、ゆっくりと楽しめます。さあ、冬のおしゃれをして、星空の元へ出かけましょう。

かに座

こいぬ座
プロキオン

いっかくじゅう座

冬の大三角

うみへび座

おおいぬ座

シリウス

らしんばん座

とも座

はと座

ほ座

りゅうこつ座

カノープス

■冬の星空

● 星降る夜が楽しめる季節

　冬になると、よく「星がきれいに見える季節ですよね」と話しかけられます。しかし、亜熱帯の沖縄は、雨期を思わせる天候が続きます。それでも、天候に恵まれると、東の空には「シャンデリアのようだ！」といわれる星空が広がっています。

　秋は、明るい星が少なくて寂しかったのですが、冬になると一気に明るい1等星がたくさん輝き楽しくなってきます。

　冬の星座の代表は、オリオン座です。きれいに並んだ三つ星を中心に、左上のベテルギウス、右下のリゲルを見つけて、オリオン座の全体を眺めてみましょう。青白く煌々と輝くおおいぬ座のシリウスを見つければ、こいぬ座のプロキオンと結んで「冬の大三角」になります。

　シリウスが高く昇ってくると、南の水平線の上に、りゅうこつ座のカノープスが見えてきます。本州ではなかなか見えない、沖縄でこそみられる星の一つです。

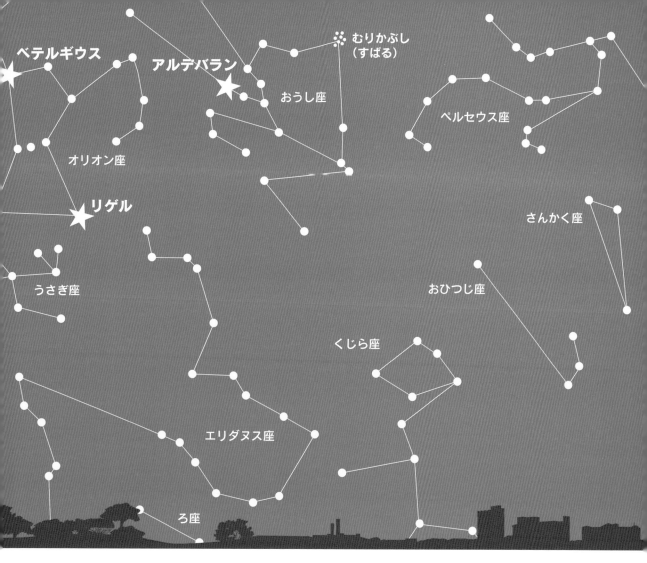

ベテルギウス

アルデバラン

むりかぶし
（すばる）

おうし座

ペルセウス座

オリオン座

リゲル

さんかく座

うさぎ座

おひつじ座

くじら座

エリダヌス座

ろ座

● むりかぶし（群星、すばる）

　沖縄でもっとも親しまれている星、「むりか
ぶし」は、オリオンの右上に青白くボヤっと輝
いています。よく見ると6、7個の星の集まり
であることがわかります。西欧では「セブンシ
スターズ（7姉妹）」とよばれたりします。

　冬は冷たい季節風が吹き、星空を長時間
見ることは大変ですが、時には半袖姿でも見
ていられるのが沖縄の良いところですね。沖
縄の冬の星空をゆっくりご覧ください。

泡盛「群か星」（八重泉酒造）
古くは、「むりかぶし」を観察しながら稲作をしていたこと
から、ラベルには「むりかぶし」と稲穂のシルエットが描か
れています。

小浜島のマンタ展望台と冬の星座

南の空、北の空

南の空

やまねこ座　ふたご座　ポルックス　　　　おうし座　アルデバラン　すばる（むりかぶし）　　さんかく座

かに座　こいぬ座　ベテルギウス　オリオン座　おひつじ座

プロキオン　リゲル

いっかくじゅう座　シリウス　うさぎ座　エリダヌス座　うお座

うみへび座　とも座　おおいぬ座　くじら座

らしんばん座　はと座　ちょうこくぐ座　ろ座

がか座

とけい座

ポンプ座　ほ座　りゅうこつ座　カノープス　レチクル座

かじき座

東　　　　　　　　南　　　　　　　西

■ 冬の星座

　冬の南の星空は、明るい1等星が多いので、星座さがしが楽しくなりますね。冬の大三角を作っているオリオン座、おおいぬ座、こいぬ座の他、ぎょしゃ座、ふたご座、おうし座なども探してみましょう。

　上ってくるオリオン座や、西に沈む秋の星座のペガスス座は、地平線ちかくに見えるので、いつもより大きく見えます。

　また、月明かりのない夜には、オリオン座の東側から北の空に延びる冬の天の川も見られ、カシオペヤ座が見つかるでしょう。

　沖縄では、カノープス（南極老人星）が南の水平線上に高くみられます。シリウスに次いで明るく白い星ですが、高度が低いために、地球大気の影響を受けて、赤く見えることがあります。天文ファンには「赤いカノープス」とよばれ、人気があります。

　空が澄んでいることが多いので、暗い星座も探しやすいです。うさぎ座、はと座や長い星座のひとつであるエリダヌス座をオリオン座からアケルナルまで、根気よくたどってみるのはどうでしょうか。

72

北の空

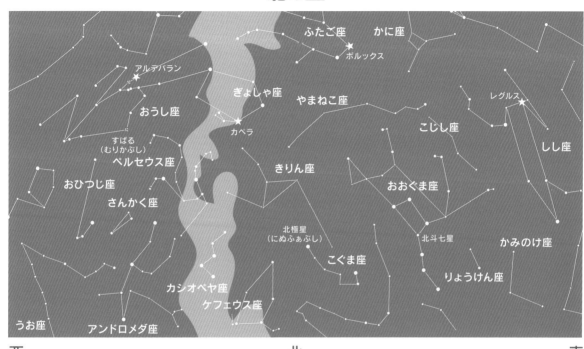

ふたご座　かに座
ポルックス
アルデバラン
ぎょしゃ座　やまねこ座
レグルス
おうし座
カペラ
こじし座
すばる（むりかぶし）
ペルセウス座
しし座
きりん座
おひつじ座
おおぐま座
さんかく座
北極星（にぬふぁぶし）
北斗七星
かみのけ座
こぐま座
りょうけん座
カシオペヤ座
ケフェウス座
うお座　アンドロメダ座

西　　　　　　北　　　　　　東

　北の空には、田植えの終わった水田に水を注ぐように北斗七星（にしななちぶし）が昇ってきます。北極星は、沖縄では「にぬふぁぶし（子方星）」として知られています。北の空に座ったまま動かないようにみえるので、「びろうるぶし（坐ろうる星）」ともよばれていました。新年からは南十字星が見え始めます。

　流星群が多い季節です。しし座流星群（11月5〜25日）、ふたご座流星群（12月11〜16日）、こぐま座流星群（12月21〜23日）、しぶんぎ座流星群（1月2〜5日）などがあります。

ベテルギウス
リゲル
オリオン座

73

■オリオン座で、天文学入門

● 星座の代表－オリオン座

　秋から、冬にかけて、夜空でまず目立つのは、星が三個一列に並んでいるオリオン座ですね。街の明かりのない暗い東の空から、三つの星が縦に一列に並んで昇って来るのを見ると、オリオン座がこんなにも大きな星座だったのかと驚いてしまいます。

　星座の中で最も知られた星座です。オリオン大星雲では四つ子の星の赤ちゃん（トラペジウム）が誕生し、青いリゲルは青年の星、赤いベテルギウスはいつ超新星爆発をしてもおかしくないといわれている星の最期の状態です。オリオン座を眺めているだけで天文学の勉強になります。

　オリオン座の特徴は、この二つの1等星の間にある三つ星ですね。同じ間隔、同じ2等星の明るさで一直線に並んで、まるで仲良く手をつないでいる三兄弟のようです。

　オリオンの三つ星は、縦に3個直線に並んで昇ってきます。この形から、八重山諸島では「たつぁーぎぶし（立明星）」とよび、「むりかぶし」と同様に麦などの播種の時期をきめる星になっていました。

　沖縄には、この三つ星を会社のマークにするオリオンビールという会社がありますね。ちなみに、サッポロビールのマークは、星が一個ですが、それは北極星だそうです。北極星は、北海道開拓のシンボルの星で、今も親しまれています。

● オリオン大星雲（M42）

　オリオン座の三つ星の下の小三つ星の中にひときわ明るくピンク色に輝く星が見えます。代表的な星雲、オリオン大星雲です。美しい姿は、蝶が舞っているようにも、すぐ隣のM43と組み合わさって鳥が翼を広げたようにも見えます。

　M42もM43も、内部の生まれたばかりの星の光や磁場によって、周囲のガスが発光したり、ガスやチリが照らされて輝いている散光星雲です。M42の中心には、四つ子の元気な星の赤ちゃんトラペジウムが輝いています。

　オリオン大星雲には、たくさんのガスやチリがあることがわかっており、大質量の星が

オリオン大星雲

誕生する場所で、星の一生や星間物質の研究には欠かせない重要な天体で、光だけでなく電波や赤外線などでも、多くの観測がおこなわれています。

ベテルギウス

リゲル

冬の星座の代表、オリオン座。3つの星が同じ明るさでタテに並ぶ

● おおいぬ座のシリウス－全天でいちばん明るい星

　冬の星空でもっとも明るく、青白く輝いている星は、シリウスですね。地球から見える全天の中で、いちばん明るい星です。ギリシャ語で、「焼き焦がすもの」という意味です。星座は

おおいぬ座で、犬の形がわかりやすい星座です。狼の目のように見えるので、中国の星名は「天狼（てんろう）」。シリウスからオリオン座の三つ星をつなぐ線の先が「むりかぶし」。

● うさぎ座

　沖縄では、南の星座が空高く昇ってくるので、暗い星座も見られます。オリオン座の足元に「うさぎ座」を見つけてみましょう。

　荒々しい狩人オリオンの心をやわらげようと、うさぎが贈られたのに、踏み殺してしまいます。これを哀れんだ神様が、空に上げ星座にしたそうです。このため、オリオンは神様の送ったさそりに刺され死んでしまいます。

　八重山諸島の無人島、カヤマ島では、7月7日に「七夕星まつり」が開催されますが、うさぎのいる島として知られています。

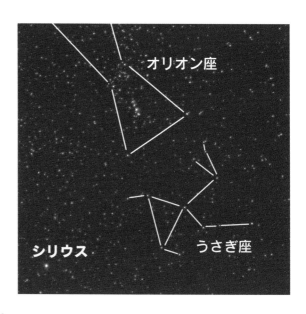

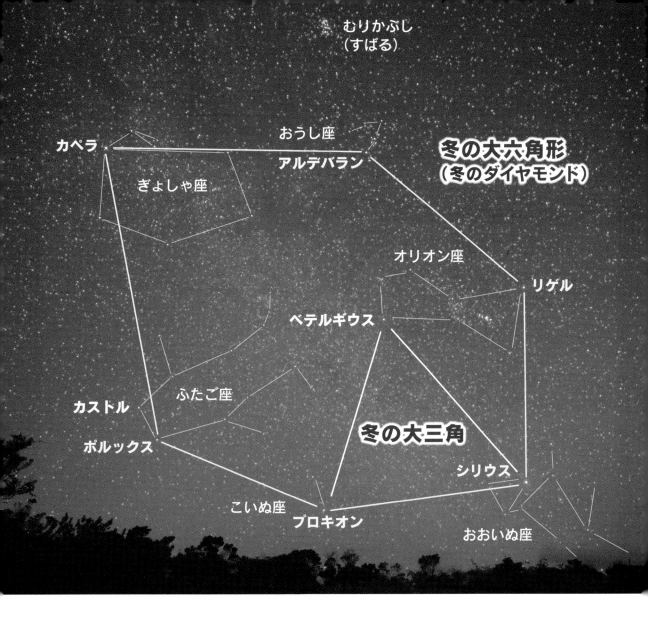

むりかぶし
（すばる）

カペラ

おうし座

ぎょしゃ座

アルデバラン

冬の大六角形
（冬のダイヤモンド）

オリオン座

リゲル

ベテルギウス

カストル

ふたご座

ポルックス

冬の大三角

こいぬ座

シリウス

プロキオン

おおいぬ座

● 冬の大三角、冬の大六角形（ダイヤモンド）

　冬は、大気が澄み星空が美しいといわれます。明るい1等星が多く、東の空に昇ってくる星々の輝きは、シャンデリアを思わせます。

　シリウスが青白く輝いています。オリオン座の左上のベテルギウス、西側（左上）のこいぬ座のプロキオンの三つの1等星をつなぐ三角形が「冬の大三角」です。

　このシリウス―プロキオンを結ぶ線を、さらにポルックス―カペラ―アルデバラン―リゲル、そしてシリウスまで連ねてできるのが「冬の大六角形（ダイヤモンド）」です。

　カペラは、一番北寄りに輝く1等星で、八重山諸島では「うとなぶし」（注目される星）とよばれていました。

南極老人星（カノープス）の視察要請

南極老人星（カノープス）は、本州や四国九州でも、水平線に見え隠れする星で、これを見れば長生きをするという中国の言い伝えもあり、いまなお天文ファンのあこがれの星です。

これは、今から200年ほど前、沖縄が薩摩の支配を受けていた時のお話です。薩摩藩に出向していた琉球のお役人に、薩摩藩の磯永源之丞から「八重山島に、南極老人星の観測のために、明持館（めいじかん）に勤めている谷山郷士（たにやまごうし）の山下平兵衛を派遣したいが、差し支えないか。また、南極老人星は、八重山諸島に行けば見えるのか」との問い合わせがあったそうです。琉球のお役人は、薩摩支配の厳しさを思い知らされていたのでしょうか、こう答えました。

「南極老人星の観測のために八重山島に行かれるとなると、とても遠いので、琉球からも役人を付き添わせる必要があります。そうなると、八重山諸島では人夫を用意するなど、いろんな費用が大変かかってしまいます」

「八重山諸島は、最近干ばつなどの災害が多く、人々は疲れていて、御用布・御用物・年貢などを用意できない状態です。また今は、薩摩藩への米の供出や上納金を命じられ、大変難渋しています。その上に、このような出費があるのは、さらに疲れさすことになり、はなはだ差支えが生じます。ぜひ、時宜を検討していただくようお願いをしてください」

「それに、南極老人星については、薩摩にやってきた琉球人に聞いてみましたが、見たというものはいませんでした。また、八重山諸島で見たという話も聞いたことがなく、見えるかどうかも申し上げられません」

ここまでは、記録が残っているお話ですが、この後、薩摩のお役人が八重山諸島まで出かけたのか、南極老人星を見ることができたのかは、分かっていません。南極老人星の観測の問合せにかこつけて、八重山島の薩摩支配の苦しさを訴えるとは、なかなか殊勝（しゅしょう）な琉球のお役人ではありませんか。

＜注＞
資　料：得能壽美氏（私信）
出　典：琉球館文書（亥、享和三年（＝1803年）九月三日の記録）
明持館：島津重豪が天文観測・造暦のために設けたという「天文館」。
　　　　現在の鹿児島市の繁華街の天文館はこれに由来する。

むりかぶし
すばる（おうし座）

アルデバラン
（おうし座）

ベテルギウス
（オリオン座）

プロキオン
（こいぬ座）

冬の大三角

シリウス
（おおいぬ座）

カノープス
南極老人星（りゅうこつ座）

かに星雲（M1）

むりかぶし（すばる、M45）
プレアデス星団

アルデバラン

ヒアデス星団

ベテルギウス

おうし座

オリオン座

オリオン大星雲
（M42）

リゲル

オリオン座流星群（10月22日ごろ）。おうし座の角の部分にオリオン座流星群の流れ星が見えます。八重山諸島では、オリオン座の三つ星は、昇ってくるときに縦に並ぶので立明星（たつぁーぎぶし）とよばれていました。

おうし座のかに星雲(M1) ©石垣島天文台
1054年に起きた超新星爆発の残骸。鎌倉時代に藤原定家が記した「明月記」には、「木星のように明るく見えた」と記録されています。

● おうし座

　星座の絵では、牛がオリオンめがけて突進しているかのように描かれているのがおうし座です。ギリシャ神話では、ゼウス神の変身した白い牡牛。沖縄の漆黒の星空に輝いているのですから、石垣牛のような黒牛であれば良かったのにと思いますね。

　寒くなってくると、東の空から群星（すばる＝プレアデス星団）に続いて、Vの字を横にしたような形で昇ってくるヒアデス星団、この二つの星団が目印になります。この後に続いて昇ってくるオリオン座から探すこともできます。

　ヒアデス星団のVの字がちょうどおうし座の顔になり、Vを書き出す位置で赤く輝いているのが、冬の大六角形の一つになっている1等星のアルデバランです。

　沖縄の古文書では、V字の星の並びを「箕星（みのぶし）」とよび、この星が見えれば「油断せず田畑の手入れをすること」と、書かれています。

■沖縄の天頂を通る「むりかぶし」

沖縄の県民に歌い継がれている「てぃんさぐぬ花」は、教訓歌としても知られていますが、「むりぶし」として歌い込まれ、広く親しまれている星です。

てぃんぬむりぶしや
ゆみばゆまりしが
うやぬゆしぐとぅや
ゆみやならん

〈天のむりぶし（群星）は、
　数えようと思えば、数えられるが、
　親の教えは、
　数えきれないほどある〉

肉眼でみると、6〜7個の星の集まりのようにみえますが、よく見るともっと多くの星が見えるので、漢字では「群星」と書かれます。沖縄でのよび名は「むりかぶし」「むれぶし」「むにぶし」「んにぶし」など、たくさんあります。

島々で農作物の播種（種まき）の時期を知るために使われてきた代表的な星です。また、石垣島の豊年祭、竹富島の種子取祭では、「むりかぶし」の踊りも奉納されます。

むりかぶし（すばる）　©NASA, ESA and AURA/Caltech

まだ星間ガスが取り巻いている若い星の集まりで、青白く美しく輝いています。

天文学の分野では、散開星団で、プレアデス星団とよばれています。

清少納言の「枕草子」の中で「星は、すばる…」と、美しい星として最初に選ばれていることでも、良く知られている星です。

国立天文台のハワイ観測所の口径8mの望遠鏡は「すばる」、石垣島天文台の口径105cmの望遠鏡は「むりかぶし」と、名前が付けられていることから、「大きなすばると小さなすばる」とよばれています。

■十五夜祭の旗頭

十五夜の祭は、1年の豊かな収穫に感謝をする行事です。竹富島では三つの地区から旗頭が出されますが、あいのた（東の村）の旗頭には、太陽と合わせて「むりかぶし」の七つの星が飾られています。

竹富島「十五夜祭」あいのた（東の村）の旗頭（撮影：石垣久雄）

アルデバラン

むりかぶし（すばる）

ウィルタネン彗星

● ゆどぅんとむりかぶし

　沖縄では梅雨の季節を「小満芒種（すーまんぼーす）」とよびますが、八重山諸島、石垣島では「ゆどぅん」とよんでいます。「淀む（停滞）」、「休む」とかいうことですが、何が淀んだり、休んだりするかというと、「むりかぶし（すばる）」なのです。

　「小満芒種」を挟んで、むりかぶしが立夏（5月初め）に夕方の西の空から見えな

くなり、夏至（6月末）の頃に明け方見るようになるまでの間のこの季節が、ちょうど八重山諸島の梅雨の季節にあたっています。

　星の運行を見ながら季節を知り、星の位置を暮らしの目安にしてきた島の人々が、梅雨の季節を「むりかぶしのお休み」とよんでいたというのは、なんとも微笑ましいことですね。

むりかぶしゆんたの由来

　むかし、沖縄の八重山とよばれる島々の農家の人々は、島の役人からとても重い年貢を取り立てられていました。また、海賊や盗賊も多く、農家の暮らしは、大変苦しいものでした。

　それを見ていた天の王様は、南の七つ星に「お前が、島を治めなさい」と、命令をしましたが、「私には、とてもできません」と、南の七つ星は返事をしました。天の王様は、大そうお怒りになって、南の七つ星を南の空の隅に追いやり、巻踊（まきおどり）をさせました。

　次に、天の王様は、北の七つ星に「お前が、島を治めなさい」と、命令をしましたが、北の七つ星も「私には、とてもできません」と、返事をしました。天の王様は、大そうお怒りになって、北の七つ星を北の空に隅に追いやり、組踊（くみおどり）をさせました。天の神様は、大そうなお怒りで、星ぼしは怖くて、口も聞けず、そばに近寄るのも恐れていました。

　そのとき、小さな群星（むりかぶし）が、天の王様の前に進み出て言いました。「王様、その仕事を、わたしにやらせてください」。驚いた天の王様は、「お前のような小さな星に、島を治めることができるのか」と、聞きました。群星は、大きな声で、「はい」と、答えました。天の王様は、大そうお喜びになって、「お前は、いつも島全体が見えるように、天の真ん中を通るように」と、言いつけました。

　それからは、群星は、東の海から登り、天の真上を通り、西の海へ沈むようになり、島の人々に季節と農作業の時期を知らせました。島の農家の人々は、毎晩かかさずに星見石（次ページ参照）を使って、群星の位置や高さを測り、種まきの時期など決め、農作業を計画的にするようになりました。そうすると、麦は壁をおおったように、稲は数珠玉（じゅずだま）のように、粟（あわ）は棒石のように、黍（きび）は牛のしっぽのよう、芋（いも）は牛の角のようにたくさん実りました。

　村は、いつも豊作で年貢を納めても、暮らせるだけの作物が取れるようになりました。

　みんな豊かになったので、八重山の島々の農家の人々は、野良仕事終えた帰り道では、いつも「むりかぶしゆんた」を謡い、「わたしたちの村が栄えるのは、群星を見ながら、種をまき、収穫をするからだよ」と、みんなが喜び自慢をするようになりました。

渡久山純：画

84

■星見石

八重山諸島では、1600年代半ばの琉球王朝時代から明治の初めまで、むりかぶし（群星、むりぶし、むねぶし）の位置を測り、稲などの作物の種まきの時期を決める目安としていました。

そのために使われた立石状の石が「星見石（ぶしみいし）」で、今も島々に残っています。遠見場所でも方位状に筋の入った石を使い星見をしていたと伝えられています。石だけでなく、竿や櫂、遠見台や石を積み上げ盛りあがった山の部分を使ったそうです。

小浜島には、十二支に相当する穴に竿を立て、むりかぶしを観察し、種まきの時期を決めたとされる「節さだめ石（しちさだめいし）」が残されています。

むりかぶしだけでなく、立明星（オリオン座の三ツ星、たつぁーぎぶし）、北斗七星（ふなぶし）などの星も観察されていました。八重山諸島では、農業に星々が深く関わっていたのです。

石垣島の星見石

石垣島の星見石

石垣島の星見石（方位状）

竹富島の星見石

波照間島の星見石

小浜島の節さだめ石

▌群星御嶽(むりぶしうたき)

沖縄には、たくさんの御嶽があります
が、石垣島の川平には、群星(むりかぶ
し)に関わりのある御嶽があり、川平地
域の祭祀や結願祭などの主な行事が、こ
の御嶽を中心にして開催されています。

その昔、川平の村の南風野家には、心
の美しいおこないの良い娘がいました。こ
の娘がある夜、目をさまして外に出てみる
と、群星が中天にきたとき、細長い円筒形
の提灯のような火が群星と地上の間を行
き来しているのが見えました。気のせいか
と思っていましたが、毎晩同じ時刻に見え
るので不思議に思い、家の者や村の長老
などに、その話をしました。

みんなは大変驚き、その晩そろって見
てみると、まさしく火が上下していまし
た。みんなは、天の神様が降りてきてい
るのだと思い、みんなで火が降りてきた
場所に出かけました。

すると、そこには白米の粉で丸い印が
残されていました。まさに、ここに天の神

様がお降りになったのだと、御嶽を建て
て、その後ずっと村人の信仰の中心とな
りました。

この頃、娘は煮たものは食べず、生米
を水につけてすり鉢ですった汁しか飲ん
でいませんでした。みんなはこれは神に
仕える者になる前兆であるとして敬い、
その後群星御嶽の神司は南風野家から
出るようになったと伝えられています。

豊年祭ののぼり旗の旗頭に
は、太陽とむりかぶし(群星)
の6個の星が飾られていま
す。担ぐ男衆の法被(はっぴ)
の背中には、大きな星の印が
ついています。川平地区の祭
事は、群星御嶽から、始まり
ます。

群星御嶽(神聖な場所で入れません)

祭事で使われる筵(むしろ)にも星が付けられ
ています

太陽系の星々

　惑星は、地球と同じように太陽の周りを回る八つの星々です。沖縄では、本土にくらべ惑星が空の高い位置で、くっきりと明るく見ることができます。

　またまわりが海で大気も澄んでいて、水平線まで見られるので、夕陽が沈んだ後に水星や金星が並んで見える機会が多くあります。

　夜になれば、火星、土星、木星なども輝き、望遠鏡を使えば天王星、海王星も見られます。

　特に、「明けの明星、宵の明星」として知られる金星は、仕事の始め、終わりの目安として暮らしの中でも使われ親しまれてきました。

　また、身近な星といえば流れ星ですが、流星群でなくても、市街地を離れ、暗い場所に出かければ1時間5個くらいは見られます。

　島々でも望遠鏡をつかった星空観察会も開催されるようになってきましたので、木星の縞模様や衛星、土星の環も観察してみましょう。

　赤い色の火星や、青い色の海王星など、惑星の色の違いも見てみましょう。

惑星を知ろう

■ 太陽系の惑星

　私たちの住んでいる地球が含まれる太陽系の惑星は、これまで「水・金・地・火・木・土・天・海・冥」とよばれるように、9個でした。しかし、科学が発展し、惑星の観測が進むにつれ、新しい太陽系の天体が発見されるようになり、また冥王星の大きさや軌道がより正確に分かるようになり、太陽系の惑星の定義が新しくなりました。

　太陽系の天体は、惑星、準惑星、太陽系小天体の3つに分けられました。「惑星」は、冥王星を除いたこれまでの惑星（水星、金星、地球、火星、木星、土星、天王星、海王星）8個となりました。そして、冥王星などは「準惑星」とよばれ、彗星や小惑星などは、「太陽系小天体」とよばれることになりました。また、月のような惑星などの周りを回る天体は、「衛星」とよばれます。

　「惑星」の数は、9個から8個になりましたが、太陽系にはたくさんの天体があることが分かりました。これからも新しい太陽系の仲間となる天体が発見される可能性が高まっています。楽しみですね。

〈新しい惑星の定義〉

　国際天文学連合では2006年8月に、次の三つの条件を満たしている天体を「惑星」とよぶことにしました。

1. 太陽の周りを回っている。
2. 質量が十分大きいため自己の万有引力（ばんゆういんりょく）で強くまとまり、ほぼ球形になっている。
3. その軌道の領域で、他の天体を力学的に一掃（いっそう）している。

太陽系の惑星の特徴

■ 3つのタイプ

　8個の太陽系惑星は、それぞれ特徴がありますが、大きく三つのタイプに分けられます。太陽に近い軌道を回る水星、金星、地球、火星の4個は、地球のように岩石や鉄などで作られており、地球型惑星（別名：岩石惑星）とよばれます。また、木星や土星のように水素やヘリウムのガスで出来ている惑星は、木星型惑星（巨大ガス惑星）とよびます。そして、さらに外側を回る天王星や海王星のほとんどが氷で出来ている惑星を天王星型（巨大氷惑星）とよびます。

地球型惑星

木星型惑星

天王星型惑星

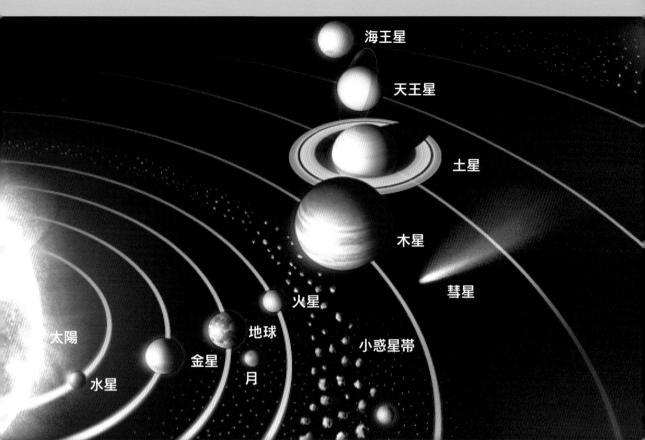

© NASA/JPL

内惑星と外惑星

地球の軌道より内側で太陽を回る水星や金星は、内惑星とよび、外側を回る惑星を外惑星といいます。

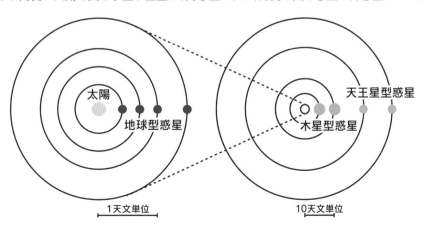

■太陽の話

● グリーンフラッシュ

　太陽が水平線に沈む瞬間にグリーンの光を放つ現象をグリーンフラッシュとよんでいます。このグリーンの光を見ると幸せになれるともいわれ人気があります。

　とても珍しい現象ですが、沖縄は西の海の水平線に沈む太陽を見ることができるので、見えるチャンスが多くなっています。とくに大気の透明度が良い日は、まだ沈みきらない太陽のリム（緑）で見られることもあります。

　グリーンフラッシュは、水平線に太陽が沈む際に、太陽の光が大気で屈折して、七色に分かれ、緑色の光だけが地表に届き見える現象です。水平方向は、大気の層が厚くなるので、赤い光が主に届き太陽も赤く、夕焼けが見える

のですが、緑や青の光が見えることもあるのです。青い光は、ブルーフラッシュとよばれます。

石垣島天文台（前勢岳頂上標高197m）

● 日食、部分日食

　太陽を新月の月がかくすのが、日食です。月に全体がかくされる皆既日食と、周りがリング状にみえる金環日食、一部だけが欠ける部分日食があります。日食は、沖縄でも時々見られます。

　太陽を肉眼で見るのは危険なので、日食メガネを使うなど安全に気をつけてください。小型の望遠鏡やピンホールで投影したり、鏡で映す方法もあります。

　次に沖縄で見られるのは、2023年4月20日の部分日食（那覇での食分:0.15）です。国内で最も大きく欠けるので、ぜひまた観察しましょう。

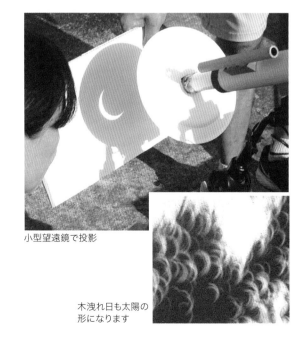

小型望遠鏡で投影

木洩れ日も太陽の
形になります

● 首里城の日時計

　沖縄本島の首里城に櫓のある「漏刻門（ろうこくもん）」があります。櫓の中には、水時計が置かれ水の溜まる量を測り、時刻を決めていましたが、精度を上げるために丸い円盤状の日時計も併用されていました。

　沖縄では、夏至の頃の太陽は南中時にほぼ真上に輝き、日時計の棒の影がとても短くなり、正確な時刻を測れなくなります。そこでこの日時計では、影が長くなるように季節ごとに時刻盤を傾けていました。

漏刻門

日時計

● 久米島の太陽石

　久米島には、太陽石とよばれる石があります。今から400年以上も昔のある時、島の村頭（むらかしら）が海岸で釣りをしていると、木箱が波に打ち寄せらて漂着したので、拾って開けてみると、中に綿花に包まれた赤ん坊がいました。村頭は、息をしているかもわからぬこの子をかわいそうに思い、家に連れ帰りしばらく介抱（かいほう）すると、元気を取り戻しました。

　村頭は大喜びして、女房に「私たちは子供に恵まれず年老いてしまったが、今幸いにも子供をもつことができた。これは、天の神様からの授かりものに違いない」と話し、その後は二人で我が子として育てました。

　その子は、心やさしく育ち、また大志をもって勉学にも励み、後に「堂の大親（どうのひやー）」（堂は今の上江洲（うやま））と敬われました。

　大親は、天文や気象、航海技術にも精通し、長年にわたり太陽や月、星の運航を調べ、稲の播種の時期を決めたり、台風や暴風雨などの気候変化も予測しました。

　太陽石は、大親が太陽の昇ってくる位置を測るために使った石とされ、今も残っています。

水星

金星

木星

沖縄では、宵の明星（金星）を「しかまぶし」、「ゆうばんまんじゃー」とよんでいました

沖縄で親しまれている惑星、金星

暁（あけ）の明星、宵（よい）の明星と親しまれているのが金星です。万葉集に書かれている「あかぼし」が、最も古い呼び名ですが、沖縄の「おもろさうし」にも残されています。

明け方に外の星が見えなくなっても東の空に輝いて見えます。暁の明星という意味で、沖縄では「あかつきぼし」ともいわれます。

夕方に太陽が沈むと、真っ先に見え出す星なので、「ゆだつ、ゆだち（夕星）」ともよばれます。与那国島の「念佛（みんぶち）節」には、

星を仰ぎ、親を待つ子供のようすが謡われています。

ひむとぬきがりば　きどぅにまて
ゆだちぬあがりば　ちでぃにまて
ばがうやまてどみる　まてぃかにて

太陽が沈むと　門にたって待ち
金星が上がってくれば　辻で待ち
我が親を待って　待ち兼ねてます

内惑星（金星、水星）の見え方

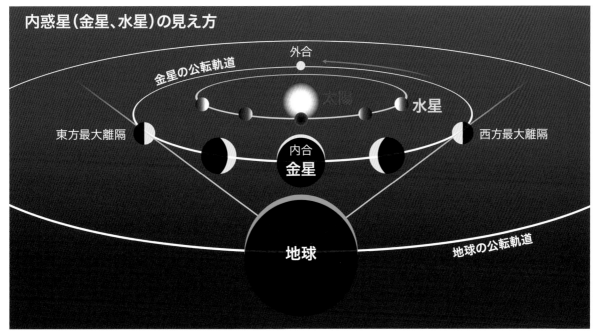

水星　　　　　©NASA　金星　　　　　　　金星の太陽面通過

水星、金星は、地球の内側を回るので、太陽の正面ではまぶしくて見えず、太陽から両脇に離れたところで、半月や三日月の形で見られます。「太陽面通過」は特殊なフィルターを通して観測できます。太陽に近い星なので、望遠鏡で見るときは、太陽を見ないように十分注意して観測してください。

農家では、「し（す）かまぶし（仕事星）」とよび、明け方この星が見えると畑仕事に出かけ、夕方に見え始めると仕事を終えて、家に帰ってきました。子供たちは、「ゆうばんまんじゃー」の星とよび、「夕ご飯、まだかなー」と、親の帰りを待っていたそうです。

夕ご飯の支度を始めると、台所を窓からのぞき込んでいるので「ふぉいだまーぶし（食いしん坊の星）」と、夕ご飯を食べている頃に見えれば「ゆぼーんぷしぃ（夕ご飯の星）」とよ

ばれていたそうです。

島の暮らしは質素だったので、雑炊もお椀の中に米粒が点在するだけで「星汁（ぶしじる）」といわれていました。

金星と水星は内惑星とよばれ、地球の内側で太陽の周りを回る惑星です。望遠鏡でのぞくと、半月から三日月の形に欠けて見えます。

金星は、地球から見ると星の一部が光っているだけなのに、こんなにも明るいのは、地球に最も近い惑星だからです。

外惑星
<small>がいわくせい</small>

　地球の外側で、太陽を回る惑星は外惑星ともよばれ、火星、木星、土星、天王星、海王星があります。

　図鑑などでは、美しい画像が楽しめますが、石垣島天文台のむりかぶし望遠鏡を使っても、肉眼でそのようには見られません。高感度カメラで撮影の画像を掲載します。

　外惑星は、下図のように太陽―地球と一直線に並ぶ「衝」の位置にあるときが、もっとも明るく輝いて見られます。

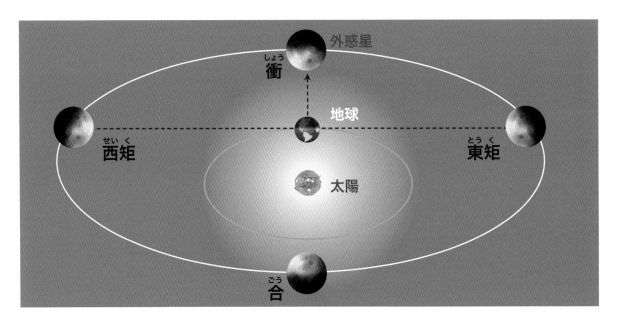

● 火星

　赤く輝く惑星です。赤い色は、表面に二酸化鉄（鉄さび）の赤い砂があり、太陽の光があたって赤く見えています。

　望遠鏡で見ると北と南が白く見えています。「極冠」とよばれる北極、南極の氷です。
<small>きょっかん</small>

　火星は太陽の周りを楕円を描くようにして687日で回っていて、地球に2年2カ月ごとに近づきますが、15年ごとにとても近づき「大接近」とよばれます。

　接近すると細かい模様や筋が見え、昔は火

© 石垣島天文台

星人が住んでいて、運河がつくられているといわれたことがあります。

94

● 木星

　地球の11倍も大きく、質量は300倍もある巨大なガス惑星です。太陽になりそこねたともいわれています。太陽が二つできていたら、地球に生命は生まれてないでしょうね。

　小さな望遠鏡で見ると、二本の縞模様と四つの衛星（ガリレオ衛星）が、直線に並んでいるのが見えます。自転速度が、10時間40分なので、見ているうちに縞模様や衛星の位置が変化して見えます。

ガリレオ衛星

　自作の望遠鏡で最初に宇宙を見たガリレオ・ガリレイは、1610年に木星の周りを4個の衛星が回っているのを発見しました。この発見で地球が太陽の周りを回っているという地動説に確信をもちました。

　小さな望遠鏡でも、4衛星が見られ、数時間で位置を変えているのがわかります。木星に近い方から、イオ、エウロパ、ガニメデ、カリストです。衛星イオには、噴煙を上げる火山がいくつも見つかっています。

© 石垣島天文台

小型の望遠鏡では一直線に並ぶ衛星が見えます

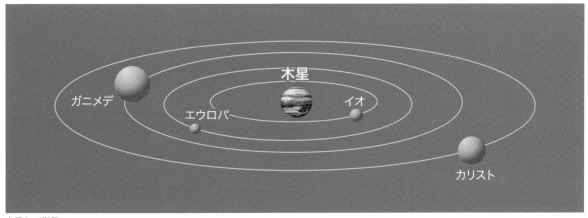

木星と4衛星

● 土星

石垣島天文台の天体観望会で、もっとも人気なのが土星です。暑い沖縄の夏の必需品、麦わら帽子のような形です。

星の周りに薄い環が見えます。この環は、小さな氷の粒でできていて、厚さは非常に薄く1km以下と言われていますが、探査機ボイジャーの観測では10m程度との報告もあります。環をよく見ると二重になっていて、外側がA環、内側はB環で、その間の黒い筋のようなすき間は、カッシーニの空隙とよばれています。

土星の環は、公転軌道面に対し約26.7度傾いていて、そのまま30年かけて公転するので、地球から見ていると環の見え方が変化し

© 石垣島天文台

て、約15年周期で環を横から見ることになり環がなくなったように見えます。これが「環の消失」です。

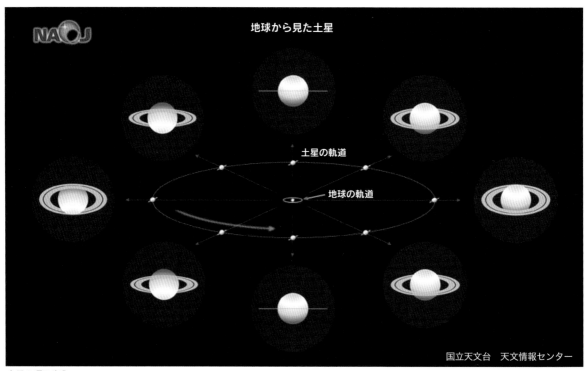

地球から見た土星

土星の軌道

地球の軌道

国立天文台　天文情報センター

土星の環の変化

● 天王星

1781年にハーシェルによって発見された惑星です。メタンのガスでおおわれている氷の惑星です。

最近の大型望遠鏡で、環があることがわかりましたが、その方向が縦になっていて、太陽系の惑星の中で唯一横倒しになっていることがわかっています。

昔、大きい天体がぶつかって、倒されたのではないかといわれています。

© NASA/JPL

© NASA/JPL

● 海王星

1846年に、理論上の計算から発見された天体です。

惑星探査機ボイジャー2号が撮影した姿はその名にふさわしく青く美しく輝いて感動させられました。

天王星と同じく氷の惑星ですが、衛星のトリトンからは、窒素ガスが噴き出されていることがわかっています。

● 惑星の並びと大きさ

太陽　水星　金星　地球　火星　木星　土星　天王星　海王星

© NASA/JPL

流れ星を見よう

流れ星－お母さんはほうき星

　地球にもっとも近い星は？　答えは「流れ星」です。夜空で一瞬の間、光りながら流れる星に願いごとを3回言うことができると、かなうといわれていますね。

　沖縄の首里のあたりでは、「ふしぬやーうちー」（お星さまのお引越し）とよぶそうです。なんとかわいい呼び名でしょう。

　流れ星も、彗星（ほうき星、コメット）も、イラストなどでは、同じように尾をつけた星が描かれていますが、一瞬の間しか見えない星が流れ星です。

　でも、流れ星と彗星はとても関係が深いのです。流星群の説明に「母天体は、○○彗星」とありますが、流れ星のお母さんは、彗星なのです。流れ星の材料は、昔に彗星が通過した場所に残された彗星の塵や砂粒です。

　大きく明るい流れ星は「火球」とよばれ、いくつかに分裂して見えることがあります。最近は、人工衛星やロケットの破片などの「宇宙デブリ（ごみ）」のこともあります。

　沖縄の島々では、街の明かりが少ない暗くて星が見えるような場所では、しばらく星空を眺めていると、必ずいくつかの流れ星を見ることができます。マットやシートを敷いて、寝転がって見ると疲れなくて良いです。願いごとを用意して見てみましょう。

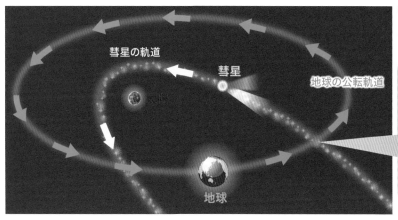

彗星が軌道上に残していった小さな塵や砂に、地球がぶつかると、大気との摩擦で燃えて光り、流れ星になって見えます

地表80〜100kmあたりで、大気との摩擦で燃えて光る

彗星の軌道

彗星

地球の公転軌道

太陽

地球

地球

良く知られている 三大流星群

●しぶんぎ座流星群（母天体：小惑星〈196256〉、諸説あり）
　流星出現期間：1月1日〜1月7日（極大：1月4日頃）
●ペルセウス座流星群（母天体：スイフト・タットル彗星〈109P〉）
　流星出現期間：7月17日〜8月24日（極大：8月13日頃）
●ふたご座流星群（母天体：小惑星フェートン〈3200〉）
　流星出現期間：12月5日〜12月20日（極大：12月14日頃）

石垣島天文台の上空で天の川の中を流れる火球

■ 彗星（ほうき星）を見よう

　彗星は、よく「汚れた雪だるまのような天体」と言われますが、沖縄では雪だるまを見ることはできませんね。

　太陽に近づくと、だんだん蒸発して、ガスや塵を放出し、それが「尾」となって見えるのです。ガスは太陽からのエネルギーで吹き飛ばされるので、太陽と反対方向にまっすぐ伸びて見えますが、チリは彗星の通り道に沿って残されていくので、彗星の軌道に沿ったように少しカーブして見えます。

　彗星は、太陽系の外周を取り巻くオールトの雲とよばれる氷の塊の一部が、太陽系に落ちるようにして、太陽系内を移動している天体です。

■ 沖縄とほうき星

　彗星は沖縄でも古くから観察されていたようで、八重山の「竹富島誌」には、「ぼーし星。ホーキ星ともいう。東方に箒（ほうき）の形をして現れる。この星は数年周期で現れる」とあります。また、沖縄本島では、女性の頭につける「入髪（いりがん）」に似ていることから「入髪星（いりがんぶし）」とよばれていました。

　沖縄の歴史を知る上で重要な資料とされる「球陽」に記録された天文現象に、1664年に「客星」があります。「客星」は、中国では「彗星」のことです。この彗星は、日本でも各地で観測され、世界的にも観測されています。その後の研究で、この彗星は、太陽に近づきはしなかったものの、近日点のころ地球のそばを通ったので大きく見えたということがわかっています。

入髪（いりがん）

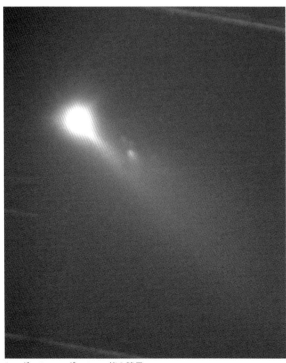

シュヴァスマン・ヴァハマン第3彗星

ソニア彗星 (C/2014 A4) 長く伸びる塵の尾が捉えられている

● 隕石－お父さんは小惑星

流れ星や、火球は、地球の大気中で燃え尽きますが、時々大音響をともなって地上に落ちてくる星があります。隕石です。

「隕」は文字通り、「高いところから落ちてくる」という意味です。

6500年前に恐竜が絶滅したのは、巨大な隕石が落ちたからだと言われています。最近では2013年にロシアのチェリャビンスク州に落下して、建物が壊れるなどの被害が出ました。分裂してたくさんの隕石が落下しましたが、元は直径が10mほどの大きさだったといわれています。

流れ星のお母さんが彗星（ほうき星）なら、隕石のお父さんは小惑星といえます。

小惑星は、火星と木星の間にある大小の岩の集まりですが、月や火星から飛んできた隕石も発見されています。

2014年に石垣島で展示された隕石
（右は、10.8kg、左は6.6kgある）

■ 星窪（ふしくぶ）
やんばるに隕石落下!?

沖縄にも、大昔に星が落ちたと言い伝えられている場所がいくつか存在しています。

「星窪」といわれ、宜野湾市、沖縄市、国頭村などにあります。多くの調査もされたりしていますが、残念ながら、まだ隕石も発見されてなく、隕石の落下でできたという証拠は見つかっていません。

ただ、国頭村の「星窪」は、琉球王朝の歴史記録「球陽」の別冊である「遺老説伝」に記録があり、1980年には地元の小学生が調査した報告書が残っています。

やんばるに、隕石が落ちた穴がある!?

『遺老説伝（いろうせつでん）』の記録

国頭郡辺戸邑の北、名を宇座原地と曰ふ。

太古の世、一夜、星此に落ち、以て窊坎を為る。

坎形長円にして、深さ七尺、長さ十間、広さ五間なり。

今世の人、呼びて落星窊と曰ふ」

角川書店（昭和53年）版　「窊坎」は「わかん」と読み、くぼんだ穴のこと。

③ ようすや、大きさ。
・回りにだけに、木があって、くぼんだところには、木がなくて草だけがはえていた。
・たてが、約13mで、よこが約20m、高さが約3mで、だ円形が左でできる。
約20m
約13m

小惑星を見よう

小惑星には、沖縄にちなんだ名前も

太陽系の惑星は、「水金地火木土天海」といわれる8個ですが、これ以外にも太陽を回る星ぼしがあります。小惑星と彗星です。

小惑星は、探査機「はやぶさ」1号、2号の活躍で良く知られていますが、火星と木星の間にあって、太陽の周りを回っている小さな天体で、多くは岩石からできています。

彗星は、発見者の名前がつけられますが、小惑星は発見者に命名する権利が与えられています。

沖縄にちなむ名前もつけられています。「石垣」「聖紫花」は、2002年に石垣島に国立天文台のVERA（ベラ）観測局ができた際、群馬県の天文家小林隆男さんの申し出があり、名前を提案し、2003年5月に認定されました。

その後、2006年に石垣島天文台が完成。毎年夏に開催される高校生たちによる「美ら星研究体験隊」で、新しい小惑星が発見され、2013年1月に「やいま」、2015年6月に「あやぱに」の名前が認められています。

また、コメットハンターとして世界に知られる関勉さん（高知市在住）が、石垣島天文台の完成を祝して、自分の発見した小惑星（13989）に望遠鏡の名前である「むりかぶし」を提案し、2006年11月に命名されました。

このため、沖縄の星空には二つの「むりかぶし」があることになりました。

小惑星の多くは、直径が数キロメートルしかなく肉眼では見られませんが、4大小惑星であるケレス、ジュノ、パラス、ベスタを望遠鏡で観測する天文ファンがいます。

「あやぱに」とは
かんむり鷲の若鳥の羽

「聖紫花」とは
八重山諸島に咲くツツジ科の花

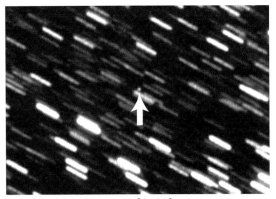

小惑星 (372024) Ayapani「あやぱに」

小惑星 (333639) Yaima「やいま」

小惑星からやってきた星の王子さま

星のお話で世界的に知られているのが、サン＝テグジュペリの小説「星の王子さま」ですね。

星の王子さまは、ある日住んでいた小惑星B-612を飛び出し、小惑星325から330を巡り、7番目に地球にやってきます。

そこで、サハラ砂漠に不時着した「私」と出会い、10日間を共にします。王子さまが狐（きつね）から教えられ、「私」も共感した「大切なものは目に見えないんだよ…」は、有名なことばですね。

星の王子さまは、別れ際に「夜になったら星を眺（なが）めてね」と笑い、その笑い声を「僕の贈り物だよ」と言い残します。星空を眺め、子供の心に戻ると、星の王子さまの笑い声が聞こえてくるかもしれませんね。

小説の書かれた時は、星の王子さまの星、小惑星B－612は、架空の星でした。

その後、1993年に日本人二人が発見した小惑星の番号が46610と決まります。

この数値が16進数で「B612」となるため、「星の王子さまの星に」との提案があり、2002年に「Besixdouze（B612）」が認められ、小惑星B-612ができました。

※この図版は、サン＝テグジュペリ権利継承者から原版を提供され、複製されたものです。

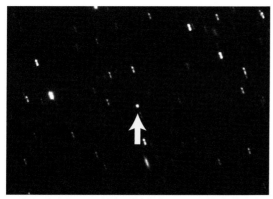

小惑星 (10226) Seishika「聖紫花」

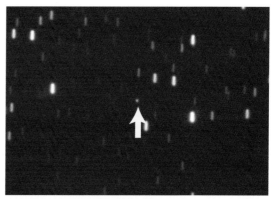

小惑星 (10179) Ishigaki「石垣」

■ 日周運動と年周運動

● 星と星座の動き

　星や星座の位置が、毎日少しずつ違っていることに気がついていることと思います。地球は、1日1回転（自転）しながら、太陽の周りを回っています。その回転軸を伸ばしたところに北極星があるので、あたかも北極星を中心に星々が回っているように見えます。これが日周運動です。

　一日は24時間ですが、1回転する時間は、約23時間56分なので、毎日4分ずつ、星の見える時間が早くなります。今夜南十字星が真南に見えたのが11時だとすると、ひと月後には9時頃になります。

　地球は、1年365日かけて太陽の周りを回り、季節ごとに夜見える星や星座が変ります。これが年周運動です（「誕生星座」参照）。

北の空の星々は北極星を中心に反時計方向に回ります（撮影：福島英雄）

■ 日周運動

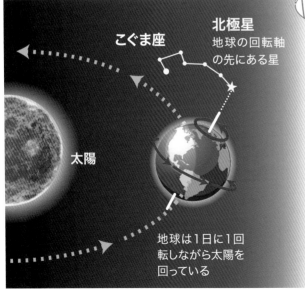

こぐま座

北極星
地球の回転軸の先にある星

太陽

地球は1日に1回転しながら太陽を回っている

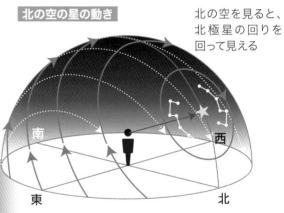

北の空の星の動き

北の空を見ると、北極星の回りを回って見える

南

西

東

北

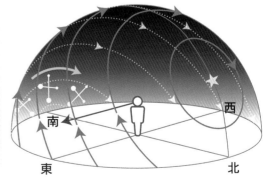

南の空の星の動き

南の極が水平線の下にあり、南十字星も弧を描くように動いて見える

南

西

東

北

■ 誕生星座（黄道12星座）

● 紀元前から使われてきた星座

雑誌や朝のテレビ番組などで、運勢を占う星占いが楽しまれていますが、科学的な根拠はありませんので、悪い結果が出ても気にすることはないでしょう。

年周運動する地球から見て、天球上を1年かけて1周する太陽の通り道は、黄道とよばれます。この黄道を春分点から12等分して、毎月ごとに太陽の方角にある星座を「誕生星座」としています。

誕生星座は、太陽の方角にあるので、誕生日には見られません。3、4か月前には見られるので、事前にプレゼントをおねだりしながら眺めてみましょう。

国際天文学連合では、たくさんある星座を整理することを1928年に提案し、1930年に現在の88の星座と領域を決めました。このため、へびつかい座の端を黄道が通ることになり、黄道13星座を誕生星座にする方もいますが、星占いは紀元前から使われてきた12星座で楽しむのが良いでしょう。

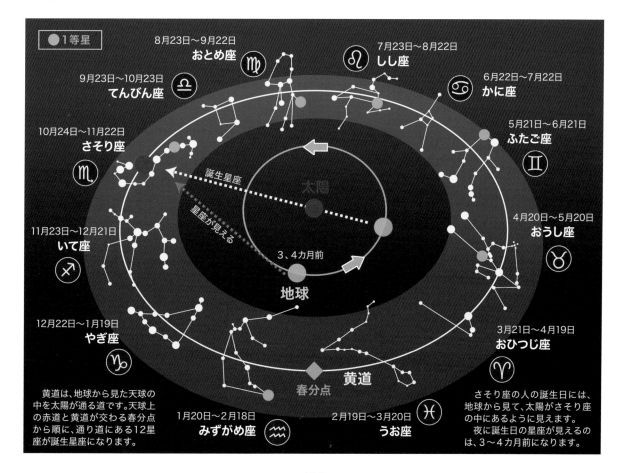

●1等星

8月23日〜9月22日 おとめ座 ♍

9月23日〜10月23日 てんびん座 ♎

10月24日〜11月22日 さそり座 ♏

11月23日〜12月21日 いて座 ♐

12月22日〜1月19日 やぎ座 ♑

7月23日〜8月22日 しし座 ♌

6月22日〜7月22日 かに座 ♋

5月21日〜6月21日 ふたご座 ♊

4月20日〜5月20日 おうし座 ♉

3月21日〜4月19日 おひつじ座 ♈

1月20日〜2月18日 みずがめ座 ♒

2月19日〜3月20日 うお座 ♓

誕生星座

星座が見える

3、4カ月前

太陽

地球

黄道

春分点

黄道は、地球から見た天球の中を太陽が通る道です。天球上の赤道と黄道が交わる春分点から順に、通り道にある12星座が誕生星座になります。

さそり座の人の誕生日には、地球から見て、太陽がさそり座の中にあるように見えます。
夜に誕生日の星座が見えるのは、3〜4カ月前になります。

105

宇宙人に会えるだろうか？

沖縄は、UFO？を見た方が多い！

天文台に長く勤めていましたが、よく「UFOを見た」という問い合わせがきます。一般の方だけでなく、マスコミからも、「UFOを見た方がいますが…」「UFOの写真を撮ったようです！」という質問がきます。時には気象台や自衛隊からも電話があったりします。

特に沖縄に来てからは、その数も多くて、見た方が複数おられたりするので、確かに見えているのでしょうね。そのため、「時間は、どの場所から、どの方向に、どれくらいの高さで、どっちの方角に、どれくらいのスピードで移動していたのですか、色は？」など、できるだけ詳しく聞かせていただくようにしています。

せめて隕石でも！

その結果調べてみると、金星や木星などの明るい惑星が、雲の流れで動いているように見えたりしていることが多いです。

また、時には大きい流れ星のようにみえる「火球」であることもあります。これは、広い地

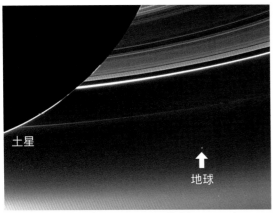

土星

地球

探査機「カッシーニ」が撮った土星の環と地球（NASAJPL）

域で目撃者がいたりするので、個人的には、隕石の落下もあれば良いのにと期待することもありますね。

それ以外に、「白く丸く見えた」という報告がありましたが、気象台が上げた気象観測用の気球だったとか、「赤や緑色で、水平線近くで、上下していた」のは、海上保安庁の夜間の海難救助訓練とか、米軍の夜の軍事演習だったこともあります。

最近では、中国、台湾の観光客でしょうか、天燈（てんだん）という紙製の小さな熱気球を上げていることもあります。中に入れている蝋燭の火が紙に燃え移ることもあり「UFOが燃えて落ちた」という写真を送ってこられた方もいました。

天文学者のまじめな宇宙人探し

1960年ころ、電波望遠鏡で宇宙を観測するようになって、天文学者による「まじめな宇宙人探し」が始まります。

宇宙のガスやチリに邪魔されずに遠くの星まで届く電波を使って、知的な地球外生命と交信できないかということで始まりました。オズマ計画やSETI（セチ、Search for Extraterrestrial Intelligence）という名前を聞いた方もおられるでしょう。

また、惑星探査衛星パイオニアには、私たちの住む地球の情報を絵や、2進数で表した金属製ディスクを載せています。太陽系外の星にたどり着いたら、読んでもらおうというものです。

ビンに手紙を入れて海に流す「ヤシの実流し」の宇宙版といえますね。天の川に流すと、織姫さん、彦星さんに届くかも！

● ドレイクの方程式

私たちの銀河系には、約2000憶個の星が存在しているといわれています。その星の中に、地球人のような高度な文明をもっている生命の存在する星はあるはずです。

地球外知的生命（ETI:Extraterrestrial Intelligence）の出会いの可能性を科学的に計算してみるための方程式があります。

ＳＥＴＩを提案した惑星天文学者のカール・セーガンとフランク・ドレイクが作った方程式で、電波天文台の名前から、グリーンバンク方程式ともよばれています。

ドレイクの式を使って、宇宙人との出会いの可能性を説明するカール・セーガン

$$N = R_* \times f_p \times n_e \times f_l \times f_i \times f_c \times L$$

N：銀河系内で地球人が交信可能な知的生命が住んでいる星の数
R：銀河系内で、1年間に誕生する星の数
f p：誕生した星が、惑星をもつ確率
n e：1つの星で、生命の生存に適した領域にある惑星の数
f l：その惑星に生命が誕生する確率
f i：生まれた生命から知性が生まれ、進化する確率
f c：通信手段をもつ文明が現れる確率
L：通信を試みる時間（文明の寿命）

● 宇宙人に会うためにも必要な平和

ドレイクの式に、みなさんの考える値を入れて計算してみてください。

一番重要な値は、私たち地球の文明の寿命です。あなたが、宇宙人に会いたいと思っていても、病気や交通事故で命を失ってはその機会はなくなります。

健康に注意をして長生きをしても、核戦争などで、全人類が滅んでしまうことになっても、ダメですね。

そもそも、宇宙人だって長期間の宇宙旅行をしてきたのに、争いごとばかりしている星を訪ねてみようとは思わないでしょう。

宇宙人との出会いの機会を作ろうとするなら、私たちの地球の高度な文明を、できるだけ長く平和に保つことが重要ですね。

地球を宇宙人が訪ねてみたくなるような平和な星にすることがとても大切です。

「おもろさうし」に見る星空の美しさ

　沖縄の星空の美しさは、古くから多くの人の心をとらえてきました。

　琉球王朝がまとめた「おもろさうし」にも、太陽や月への感動や想いを込めた数多くの歌が集められていますが、意外なことは、星々の歌が少ないことです。

　その少ない中でも代表作といえるのが、次の歌です。

　　ゑけ　あがる　三日月や
　　ゑけ　かみぎや　かなまゆみ
　　ゑけ　あがる　あかぼしや
　　ゑけ　かみきや　かなまゝき
　　ゑけ　あがる　ぼれぼしや
　　ゑけ　かみが　さしくせ
　　ゑけ　あがる　のちくもは
　　ゑけ　かみが　まなきゝおび
　　　　　（おもろさうし、巻十 - 五三四番）

　これほどに、月や星の美しさ、清らかさを賛美し、神への敬いを込めた歌は他にはありません。

　この歌の解釈は、これまで夜明けの暁の空に輝く三日月や暁の明星、群星、そして昇ってくる太陽の光を浴びて紫色に輝き、たなびく雲を謡ったものとされてきました。

　これは、沖縄では、「あがる」は、「東」のことで、太陽や星が東の海から「昇ってくる」意味であるからです。ちなみに、太陽や星が沈んでゆく「西」は、「いり」です。

　私も、最初は何の疑いもなく、そんな朝の情景を思い浮かべ、この歌を何度か読み、口にしてきました。

　しかし、明け方に、美しく輝く月や星を歌うなら、この後昇ってくる琉球王の象徴である夜明けの太陽（てぃだ）をなぜ歌い込まないのだろう、そんな素朴な疑問が湧いてきたのです。

　ところが、年も明けたある日の夕方、夕焼けの空に三日月が見え、そばに金星が輝き、宵には群星が昇ってきました。そして、真夜中には、薄雲がたなびくように天の川が見えてきたのです。

　そして、この歌が生まれたときの情景が思い浮かんできました。

　平穏に迎えた新年の三が日も、気が付けばもう夕暮れを迎えました。明日は「火之神迎え」で、この一年の無病息災と幸せを祈ろうとしています、雲一つない天空に輝いていた太陽は、西の海に入り、空の色は茜から紫色へと変化し、その濃さを増してゆきます。

　夕空に、三日月がくっきりと姿を見せ、金星も輝きを増して美しく、群星も昇ってきました。夜半過ぎには、天の川も見えはじめました。

　神々を身近に感じながら、澄みわたった星空を眺めていると、自然に歌が出てきました。

　　ほら見てご覧なさい、三日月が
　　輝き始めましたよ。まるで天の

神様の金の真弓（まゆみ）のようではありませんか。

ほら見てご覧なさい、宵（よい）の明星（金星）が輝き始めましたよ。まるで天の神様の真弓の鏃（やじり）のようではありませんか。

ほら見てご覧なさい。群星が輝き始めましたよ。まるで天の神様の花簪（はなかんざし）のようではありませんか。

ほら見てご覧なさい。天の川も雲がたなびくように見え始めましたよ。まるで天の神様の白布の帯のようではありませんか。

まさにこの「おもろさうし」に謡われた順番で、三日月、金星、群星（すばる）、天の川が、目の前に輝き始めるのです。

今でも、八重山の島々では、薄く白い雲がたなびいているような天の川が見られます。沖縄本島でも、遠い昔にはこのような天の川が見られたことでしょう。

神秘な美しさをもって輝く沖縄の星々を眺めていると、この解釈もまんざらではないのではと思っています。一年を通じて、沖縄の星空を心ゆくまで楽しみたいものです。

ぼればし（群星）

あかぼし（金星）

てぃんがーら（天の川）

三日月

銀河の世界

カヤマ島の天の川

■ 天の川は、太陽系を含む銀河

　ある夏、離島に出かけて、満天の星の下で案内をしました。終わった後、島のオジイがやってきて、「きょうは、いろんな星の名前を勉強できて良かったよ。しかし、夏はいつも雲がでるんだよな」と指さすので、見てみたら、なんとそれは天の川でした。

　「あれが、てぃんがーら（天の川）ですよ」と教えてあげたら、「あれが、そうなのか、初めて知ったよ、長生きをして良かったよ」と改めてお礼を言われました。

　「てぃんがーら」は、私たちの住む太陽系など、2000億個の星々の集まりで、「銀河系」とよびます。双眼鏡などで覗くと星が密集しているようすがよくわかります。

　夏の夜、南の海から北の海まで白い雲のような天の川を眺めていると、銀河の中にいることが実感できると思います。

　川が大きく膨らんで、いて座の見えるあたりが、銀河系の中心方向で、中心には巨大なブラックホールがあることがわかっています。

エッジオン銀河（銀河を横からみると、平たいことがわかる）

渦巻銀河 M51（銀河を真上からみると、渦巻状の円盤に見える）

■ 銀河系は、平たい円盤状

　宮沢賢治の「銀河鉄道の夜」は、第1節「午後の授業」で、この天の川の説明からはじまりますね。

　直径が10万光年もあるため、私たちの銀河系の形を外から見ることはできませんが、遠くの銀河を観測することで、おおよその形が想像できます。

　左上のエッジオン銀河は、銀河を横から見たところで、遠くから天の川を見たようです。渦巻銀河M51には、「腕」とよばれる渦巻状の星の集まりがみえます。

　世界に先駆けて銀河系（天の川銀河）の立体地図を作ろうとしているのが、日本のVERAプロジェクトです。口径20mの電波望遠鏡を国内4か所（下図）に配置して、口径2000kmの望遠鏡と同じ性能を発揮しています。

※光年は、距離の単位。1光年は、光の速度（1秒間に30万km）で1年かけて届く距離で、約9兆5千億km

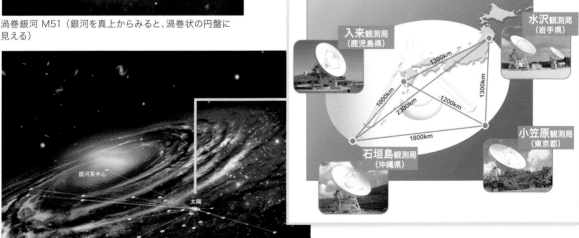

銀河系の想像図とVERAの望遠鏡配置
（中心から、3万光年の場所に太陽系がある。
　地球から電波で星の位置と動きを観測する）

銀河系の世界

太陽など、2000憶個の星があつまっている私たちの銀河系の中では、日々星が生まれたり、死んだりしており、星の一生がみられます。

沖縄では、大気も安定しており、九州・沖縄地域で最大（口径105cm）の石垣島天文台の「むりかぶし望遠鏡」では、惑星だけでなく、星雲などの撮影でも威力を発揮しています。

馬頭星雲

オリオン座の三つ星の左（東）側にあります。チリやガスが濃く集まってできた大きな星雲です。背景の光をさえぎって影絵のように馬の頭の形に浮かび上がってみえます。地球からの距離は、1500光年。

この星雲からも、星間分子の出す強い電波が観測されており、オリオン星雲のように、星が誕生する可能性があります。

わし星雲（M16）

へび座にある散光星雲と散開星団で、地球からの距離は、5500光年。

鷲のようにも、指のようにも見える散光星雲の中では、たくさんの星が誕生しています。

キャッツアイ星雲（NGC6543）

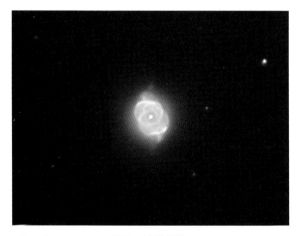

猫の目のように美しく見えることで人気が高い惑星状星雲で、りゅう座にあり、地球からの距離は3600光年です。

● あれい状星雲（M27、NGC6853）

こぎつね座の惑星状星雲。鉄亜鈴の形に見え
ることでこうよばれています。太陽のような星の
最期。エネルギーを使い果たし、惑星軌道の外
側まで、膨張しているようすがわかります。地球
から距離は、820光年。

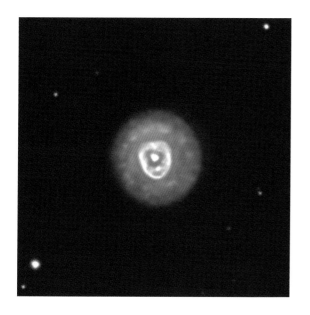

● 人面星雲（NGC2392）

毛皮のフードをかぶった人の顔のようにみえ
る惑星状星雲。中心の星から噴き出している物
質が、フードのように見えています。地球から
5000光年遠くにあります。

● M15（球状星団　M15）

ペガスス座にある球状星団。銀河系の外側
（地球から約3万光年先）に、銀河系ができた
後、100憶年ほど前に生まれた、数万から数百
万個の星が球状に集まっている天体。

小型の望遠鏡でも見ることができます。

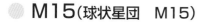

銀河の世界

　私たちの銀河系の外から、138億光年先まで広がる宇宙には、数多くのさまざまな銀河が存在し、銀河同士の衝突<ruby>(<rt>しょうとつ</rt>)</ruby>なども起きています。ほとんどの銀河の中心にはブラックホールがあることがわかっています。写真は、石垣島天文台のむりかぶし望遠鏡で撮影されたものです。

● ソンブレロ銀河（M104）

　おとめ座のスピカのそばにある銀河で、横から見た形がメキシコの帽子に似ていることからこの名前で親しまれています。

　地球から4600万光年の距離にあります。

● 子持ち銀河（M15）

　りょうけん座にある代表的な渦巻銀河<ruby>(<rt>うずまきぎんが</rt>)</ruby>で、地球から2100万光年先にあります。

　小さな銀河とつながっている姿から「子持ち銀河」の愛称で人気があります。

● 棒渦巻銀河<ruby>(<rt>ぼううずまきぎんが</rt>)</ruby>（NGC613）

　フォーマルハウトのそばのちょうこくしつ座にある棒渦巻銀河で、地球から6500万光年先にあります。星が次々に生まれていて、渦巻が美しく、中心には巨大なブラックホールがあるといわれています。

● ケンタウルス座A（NGC5128）

　北天のはくちょう座Aと同じく南天の代表的で活動的な電波銀河です。南十字星とおとめ座の間にあります。

　二つの銀河が衝突（しょうとつ）していて、電波源は二つ目玉になっています。円盤に垂直に激しくガスを噴き出しており、中心に超大質量のブラックホールがあるといわれています。

　今では、光学観測で特異な形をしている楕（だ）円銀河（えんぎんが）NGC5128が、このケンタウルス座Aであることがわかっています。

　高度が低いため、国内では大型の望遠鏡で撮影することが難しい天体です。

● M78銀河で、ブラックホールを撮影

　私たちの銀河系より少し大きい楕円銀河で、中心からジェットを出す電波銀河です。

　これまで中心にブラックホールがあるのではといわれて観測が続けられてきましたが、2019年にEHT（Event Horizon Telescope）のグループが、世界で初めてその姿を捉えました。

©EHT Collaboration

星空観察・天体観察をしよう

▌星空観察

天体や宇宙に興味をもったら、まずは夜に星空を眺め、星座や流れ星を観察することから始めてみましょう。満天の星空を眺めていると、宇宙の中に浮かんでいるような気分になりますよ。

観察には、街明かりや街灯など人工的な明かりがなく、できるだけ四方が開けて、水平線や地平線が見える場所が良いでしょう。できれば、明るいうちに観測場所の地形や、公共トイレの有無なども確認しておきましょう。

星空観察会

見上げていると首が疲れてきますので、マットやリクライニングのできる野外用のイスやベッドなどを利用して、横たわるようにしましょう。ハブのいる島では、草原に入らないようにし、地面にマットを敷いて横たわるときは、十分に注意をしてください。

人間の目は暗闇に慣れるのに時間かかりますので、ゆっくりと星空を眺めながら15分ほど待ちましょう。見られる星がどんどん増えてきます。

一度明るい光が目に入ると、また目が闇に慣れるのに時間がかかってしまいますので、

観察中は懐中電灯やスマホ・携帯電話の明かりを点灯しないように注意しましょう。

沖縄は大気が澄んでいて、流れ星（流星）は、流星群の時期でなくても良く見えます。1時間に5個ほど見えることもあります。流れ星を見るには、空の一か所をじっと見るのではなく、ぼぅーと空全体を眺めるのがコツです。

眺めていると、星々の間をゆっくりと移動する光の点が見えます。点滅する光や、赤や青の光であれば飛行機の灯りです。音もなく静かに移動していれば、それは人工衛星です。中でもISS（国際宇宙ステーション）は、高度が400kmほどなので、明るく見え、地球の影に入り消えたりするので観察会では人気があります。

火球など明るい流星は、数個に分裂したり、流星痕（煙のような残骸）を残すことがあります。流れるようすを追跡してみましょう。

月や惑星、星雲などは、望遠鏡や双眼鏡で観察してみましょう。月のクレーター、土星の環、木星の縞模様や衛星なども楽しめます。最近は、星空が写せるデジカメもありますので、天の川や星空をバックに記念撮影をしてみてはいかがでしょうか。

■ 指で星の高さ（角度）を測ろう

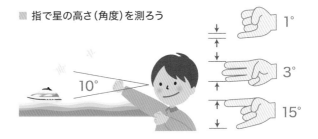

1°
3°
15°
10°

星空観察に持っていくもの

● 星座早見表、星座のアプリ

星座を探すのに便利なのが、ガイドブックや星座早見です。沖縄版の星座早見も出回っており、書店で購入できます。最近は、スマホの星座アプリも便利です。

● 冬は、防寒の用意も

沖縄は、冬も暖かいので、半袖姿でオリオン座など冬の星座をゆっくりと楽しめます。でも、やはり冬なので、時折10度C近くまで冷えることもあります。寒くなりそうなときは、上着やマフラー、帽子など用意しておくことをおすすめします。

● 方位磁石、時計

星座は、時々刻々と位置を変えていきます。南十字星だけでなく、惑星や流星雨などもその日に良く見える方角や時刻をあらかじめ調べておきましょう。

● マットや簡易ソファー

浜辺や草原で寝っ転がって星空を眺めていると星座だけでなく、流れ星が良く見えます。車で出かけるときなどは、ご持参ください。

● 懐中電灯

夜のお出かけになるので、足元を照らす懐中電灯を持っていきましょう。草むらには、危険な虫や動物がいる時もあるので、場所探しの際には、気を付けましょう。天体観測中は、人の顔に向けないようにし、できるだけ消しましょう。

● 双眼鏡、望遠鏡

暗い星や、星雲、彗星、惑星などは、双眼鏡や望遠鏡があると、さらに楽しみが増します。小型のものでも十分楽しめますが、物足りない方は、天文台や、地域で催す天体観望会などに参加して、望遠鏡で天体観察するのも良いでしょう。

■天文台に出かけよう

　沖縄の星空は、肉眼や双眼鏡などで十分楽しめますが、大きな望遠鏡で見るとまた違った感動があります。石垣島天文台には、九州沖縄で最大の105cmの「むりかぶし」望遠鏡があります。土星の環の細かなすじ模様や、木星の縞模様、火星の南極、北極の氷などが見られます。連星なども、赤や青の宝石のような輝きを見ることができます。月面などは、山と谷の細かな構造やクレーターの中までのぞくことができます。

　波照間島の星空観測タワーでは、日本最南端の星空を説明を受けながら観測できます。天文台は季節によって見える星に限りがありますが、本物の星を自分の目で観測する体験ができるという感動があります。

　プラネタリウムは、天気に左右されず、全天の星を天井の半球状のスクリーンに映し出すことができます。世界中どこの場所でも見られる星空を再現し楽しめます。宇宙旅行をしながら、星空を眺めているようなプログラムもできています。

　天体観望は、できなくても宇宙や天体の研究などをおこなっている施設で、一般にも公開しているものがあります。石垣島の国立天文台のVERA（ベラ）石垣島観測局には、口径20mのパラボラ型電波望遠鏡があり、毎日天の川の星ぼしから届く電波を観測しています。恩納村にあるJAXA（宇宙航空開発研究機構）の沖縄通信所は、日本のロケットの模型や人工衛星を追尾する大型アンテナなどを見学できます。

　そのほか、県立少年自然の家や地域の天体愛好家のみなさんによる天体観望会が開かれたりしますので、新聞の週末ガイドなどイベント情報などを見るように心がけてください。

　天文台やプラネタリウムでは、季節ごとに特別なプログラムを用意していることが多いので、ホームページで確認したり、予約の際にたずねてみるとよいでしょう。また、休館や開館時間も調べてから、出かけましょう。

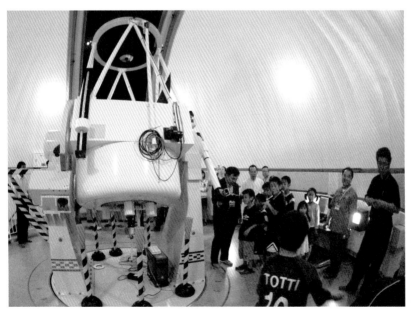

◀石垣島天文台の観望会のようす

● 石垣島天文台

　九州沖縄地域で最大の口径（105cm）の光学赤外線望遠鏡（愛称：むりかぶし望遠鏡）を備えた国立天文台の観測研究施設。2002年から始まった南の島の星まつりの成功を契機に、国立天文台と石垣市が共同して建設、2006年に完成。見学者用トイレ（バリアフリー）や宇宙を立体視できる国立天文台が開発した4D2U（フォーディートゥーユー）（Four-Dimensional DigitalUni verse、4次元デジタル宇宙）を鑑賞する星空学びの部屋が併設されています。

　土日・祝日は、むりかぶし望遠鏡を使った観望会が、開館日には、4D2U鑑賞会が開催されています（いずれも、電話予約が必要）。開館日の施設見学は、予約が不要でむりかぶし望遠鏡で撮影された天体画像や望遠鏡の

説明などがおこなわれています。

　エレベーターや昇降機なども備えられ、車いすのままで見学ができます。

▌石垣市新川1024-1　☎0980-88-0013

● ＶＥＲＡ（ベラ）観測局

　2002年に完成した口径20mの電波望遠鏡を備える国立天文台の研究施設。岩手県奥州市、東京都小笠原村、鹿児島県薩摩川内市にも設置されている電波望遠鏡と組み合わさって、口径2000kmの望遠鏡と同じ能力を発揮し、天の川（銀河系）の立体地図作りをめざしています。構内は見学でき、望遠鏡や観測についての説明板が設置され、パンフレットが配布されています。

▌石垣市登野城嵩田2389-1
☎0980-88-0011

● 波照間島星空観測タワー（竹富町）

　日本最南端の島、波照間島の天体観測施設。1994年に完成し、口径20cmの望遠鏡やプラネタリウムを備え、南十字星の見える島の天文台として、長年人気を集めていましたが、台風による被害で夜間の公開は休止しています。昼間の見学はできます。

島内のマンホールにも
南十字星と観測タワー

八重山郡竹富町字波照間9305-1
☎0980-85-8112
■昼間の見学は可能です。また、施設とは別に島内に星空案内のツアーがあります。

● 子午線ふれあい館（竹富町）

　1997年に国土地理院沖縄支所が、西表島に東経123度45分6.789秒（日本測地系）の子午線が通っていることがわかり、子午線の通る祖納に子午線モニュメントと資料館「子午線ふれあい館」が、白浜に大きな日時計が作られました。

　子午線モニュメントからは、夜になるとグリーンのレーザー光線が子午線（地球の北と南をむすぶ線）を示して、照射されています。

　なお、現在では、世界測地系（2002年改正測量法施行）が、広く用いられています。

子午線モニュメント

西表島の白浜の日時計

┃竹富町西表921-2　☎0980-84-8362

● JAXA 沖縄宇宙通信所

　恩納村に設置されているJAXA（宇宙航空研究開発機構）の施設で、気象衛星「ひまわり」や、準天頂衛星「みちびき」などの人工衛星の追尾と管制をおこなっています。

　口径10mのパラボラアンテナなど大小の通信用のアンテナを備えています。建物内には、ロケットや人工衛星の模型も展示されており、宇宙開発や宇宙利用の現状をパネルや映像を使ってわかりやすく解説しています。年中無休で、無料で見学できます。

国頭郡恩納村字安富祖金良原1712
☎098-967-8211（代表）

● 準天頂衛星「みちびき」石垣島追跡管制局

　石垣島天文台のある前勢岳（まえせだけ）の南山麓の牧草地に白いサッカーボールのように見えています。2018年から運用を開始した日本版GPSとよばれる準天頂衛星「みちびき」を追跡管制する日本で最南端の施設です。「星の島、石垣島」は、宇宙開発にもかかわりのある島へと発展しています。

　直径12mの白いレドームの中には、口径10mのパラボラアンテナが置かれています。

　沖縄には、このほか上記のJAXA沖縄通信所、久米島、宮古島にも設置されています。見学はできませんが、入口に説明パネルがあります。

南十字星と「みちびき」石垣島局

プラネタリウムへ行こう

「プラネタリウムのような星空」とよく言われますが、沖縄の本島北部、石垣島、八重山諸島などの島々、夜空の暗い場所では、プラネタリウム以上の星空があります。

プラネタリウムが良いのは、1年を通じて希望の場所と日時に見える星空を写し出せることです。

多くのプラネタリウムでは、その季節の星空や星座や天文現象の紹介をしていますので、星空観察の前には一度見ておくと良いですね。また、きれいな星空に出会うことがあれば、プラネタリウムで、どんな星や星座が見えていたのかを確認できます。

沖縄のプラネタリウムは、建物まで新しく更新されていて最新の投映機器が導入されています。番組も、沖縄の星や星座にまつわる民話や伝承、古謡なども紹介したものがあり、ぜひ出かけてみましょう。

● 海洋文化館

美ら海水族館のある海洋博公園の入り口近くにあります。四季に合わせた美ら星をドームスクリーンに描き出し、星にまつわる沖縄の民話も交えて、星座や星空の紹介をしてくれます。「ロイと仲間の大航海」の番組では、海洋文化にちなんだ伝統航海術「スターナビゲーション」について、子供たちの冒険を通じて、やさしく楽しく紹介をしています。

国頭郡本部町字石川424番地
☎0980-48-2741

● 牧志駅前ほしぞら公民館

那覇市のゆいレール（モノレール）の牧志駅から通路を歩いて数分の場所にあり便利。米軍統治下から長く親しまれた久茂地公民館のプラネタリウムが移転、リニューアルされたもので、沖縄に伝わる星の伝承などをうちなーぐちで紹介するなど独特の番組を多数上映しています。工作室や図書館もあり、星空の学習には最適。

那覇市安里2丁目1番地1号
☎098-917-3443

● いしがき島 星ノ海プラネタリウム

ユーグレナ石垣港離島ターミナル内の西側エリアに、2019年にオープン。ドーム径8m、定員46名と小さいながら、ゆったりしています。投映機が中央にない方式なので、全天が視野を妨げられず鑑賞できます。

サンゴ礁の海から星空までを案内したり、八重山諸島の星にまつわる昔話を紹介しています。3Dメガネをつけて見る立体映像番組も上映しています。

石垣市美崎町1番地
ユーグレナ石垣港離島ターミナル内
☎0980-87-9945

■星になったこどもたち

西表島の南風見田海岸に、「忘勿石 ハテルマ シキナ」の文字が刻まれた石があります。「わすれないし」といいます。

「忘勿石」には、「この石を忘れるなかれ」という気持ちが込められています。

戦時中、日本軍の命令により、波照間国民学校の子どもたちは、西表島の南風見に強制疎開させられます。食料も医療設備も不十分な中で、子どもたち66名がマラリヤで苦しみながら亡くなってゆきました。

引率していた識名信升校長は、教え子を駆りたて、命を失わせた罪悪感と、強制疎開を阻止できなかった無念さを込めて、海岸の岩に「忘勿石」の文字を刻んだのでした。

こどもが星になったというお話はよくありますが、戦争で子どもたちを星にしては絶対にはいけません。星空に戦争のない平和な世界を願いましょう。

西表島南風見の「忘勿石」の碑

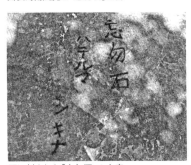
石に刻まれた「忘勿石」の文字

波照間小学校の卒業制作(右の歌詞が書かれています)

「星になったこどもたち」

作 波照間小学校全児童

1. 南十字星　波照間　恋しいと　星になったみたまたち
　ガタガタふるえた　マラリアで　一人、二人と星になる
　苦しいよ　さむいよ　お母さん
　帰りたい　帰りたい　波照間へ

2. 南風見の海岸に　きざまれている　忘れな石という言葉
　戦争がなければ　こどもたち　楽しくみんな　あそんでた
　さびしいよ　いたいよ　お父さん
　帰りたい　帰りたい　波照間へ

3. みんなでたましいを　なぐさめようよ
　みんなでなかよく　くらそうよ
　66名　しらない世界へ　いってしまったこと　忘れない
　しずかに　やすらかに　ねてください
　平和な　平和な　波照間に
　しずかに　やすらかに　ねてください
　平和な・平和な　波照間に

星の民話

　88星座の多くは、ヨーロッパの羊飼いが夜空を眺めながら作ったそうですが、沖縄の島々で星空をながめていると自然と星の物語が生まれてきそうになります。

　昔、島々の人たちも、夜になれば庭先や浜辺で星空をながめ、三線を弾きながら、月や星の歌、お話をたくさん作ってきたのではないでしょうか。

　沖縄には、昔から伝わってきた星の名前があり、星々には物語が残されています。その内容からは、島の人々がとてもよく星の動きや形を観察していたことがわかります。

　島の人たちの暮らしに、星がふかく関わっていたのです。沖縄の美ら星は、ギリシャ神話でなく、古来から沖縄に伝わる星のお話で紹介するのはいかがでしょうか。

ぱいがぶし伝説

春の星座のケンタウルス座のα星、β星は、沖縄では、ぱいがぶしとよばれ、むりかぶしと同じように、農作業の田植えや、稲刈りの時期を決める星座ですが、黒島にはこんなお話が残っています。

昔、黒島にまなびという乳房が四つある娘がいました。まなびは、乳房が四つあることをとても恥ずかしがって、結婚もしないと思っていましたが、きりょうも良く、やさしい娘だったので、ぜひお嫁に欲しいという人がいて、嫁ぐことになりました。結婚後、子供もたくさん生まれ、まなびあぶー（母）とよばれ、村人にも慕われ、とても幸せにくらしていました。

ある日、お役所からよび出しがあり、出かけてみると、お役人は「首里の王様が、乳房が四つあるのを見たいので、その女を首里のお城によこすようにとの仰せつけだ」と申し訳なさそうに言いました。首里の王様の仰せつけは、役人も、ましてや百姓や女の身では、そむくこともどうすることもできません。まなびあぶーは、泣きながら準備をし、出発の日に子供たちを集めて別れを告げました。

「乳房が四つあって恥ずかしいと思っていましたが、お前たちのような子供に恵まれ、とても幸せでした。でも、首里のお城に行ったら、二度と帰って来れないでしょう。でも、あぶーは、星になって、お前たちのことを見守っているからね。田植えのころは朝早くに、稲刈りのころには日の暮れるころ、南の空に二つならんでいる星があれば、それがあぶーと思って見てください」

子どもたちは、あぶーの帰りを待ちわびていましたが、やはり帰ってくることはありませんでした。田植えが近づいたある日の朝、子供たちは早起きをして寒さも忘れ外に出てみると、南の空に二つ並んだ星が見えました。「あぶー、あぶー」とよび続けましたが、黙って輝いているだけでした。田植えが終わると、あぶーの星は見えなくなってしまいましたが、夏の稲刈りがやってくると、あぶーの言ったとおり、日暮れにまた二つ並んだ星が見えるようになりました。

それから、村の人々は、この星を「ぱいがぶし、まなびあぶー」とよぶようになり、農作業の時期を知るために、この星を観察するようになりました。

星女房

沖縄では2月には田植えが終わり、水田の上から水をまくように、にしななちぶし（北の七つの星、北斗七星）が昇ってきます。ひしゃく（柄杓）の形をしていますが、柄から2番目の星（ミザール）をよく見ると大小二つの星があります。この星からこんな民話が生まれています。

＊　＊　＊　＊　＊

ある島の農家に母親と息子が暮らしていました。家は貧しく、大家さんにたくさんの借金があり年貢も高く、一生懸命働いてもとても苦しい生活でした。

母親は働き疲れて、とうとう亡くなってしまい男一人になってしまいました。

ある晩、男が家に急いで帰ろうとしていたら道の傍に美しい娘が立っていて、「あなたのお嫁さんにしてください」というのです。

男は「俺みたいな貧しい農家に嫁いできても、幸せになれないぞ」と断りますが、その娘さんは「どうしても、あなたのお嫁さんになりたいのです」としつこくいうので、男はその娘と結婚し女房にしました。

二人で一生懸命働き、大家さんの借金も返し、年貢を払ってもゆとりができ、子供も生まれ幸せに暮らせるようになりました。

そんなある晩、男が外に出てなにげなく北斗七星を数えて

みると、なぜか6個しかありません。なんど数えても6個です。

男は驚いて女房のそばに駆け込み「大変だ！にしななちぶしが6個しかない！」といいました。すると女房は悲しそうな顔をして

「あなたは、とうとうそのことを知ってしまったのね。実は私は天の王さまのご命令であなたに嫁いできた、にしななちぶしの姉妹の一人です。あなたににしななちぶしが6個だと知られたからには、天に戻っていかなければなりません」。

そういって、女房はそばにいた子供を抱いて天に帰っていきました。

＊　＊　＊　＊　＊

柄から二つ目の星が男の女房と子供の星で、星女房のお話として伝えられています。

七夕伝説

七月七日の七夕にまつわる織姫と牽牛の七夕伝説は、とても良く知られたお話で、中国から伝わったとされています。中国では、毎月一度は会えるということだったそうですが、いつのまにか年に一度七夕の日にしか、二人は会えないお話になってしまったようです。

日本各地には、お話の内容が少しずつ違いますが数多くのお話が残っています。沖縄では七夕伝説がすくないのですが、最近になって、宮古島にこれまでと少し違った、こんなお話があるのを知りました。

むかし、天上では、牛は野原につなぎとめられて飼われていました。朝になると牛を野原に連れ出しつなぎとめ、夕方になると家へ連れ帰る。このようにして牛は飼われていました。

ある日、牛飼いの男が、いつものように朝早く、牛をつれ出し野原へ行きました。野原へ着くと、あいにく大雨が激しく降りはじめました。天の川はみるみる雨水であふれてしまい、帰ろうにも帰れなくなってしまいました。とうとう、その牛飼いは二度と家へ帰ることができなくなってしまいました。

天の川のそばに、前と後ろに牛をひっぱているように見えている三つの星がありますが、それはこの牛飼いと2頭の牛だそうです。

一方、妻は家で、毎日毎日ぷー（糸）をつむぎながら、夫の帰りを待っています。妻の使っている糸紡ぎのさすき（箱）は、長年使ったので壊れて一つの角がとれてしまいました。牛飼いの三ツ星から天の川を隔てたところに、四角いさすき（箱）の一つの角がとれて、三角に輝いている星が見えれば、それは妻の星なのです。

これをかわいそうに思った天の王様は、一年に一回、七月七日になると牛飼いを家に帰してあげることにしました。七夕に牛飼いは天の川を渡って、妻の待っている家に帰り、三日間楽しく過ごすのだそうです。

牛飼いは、わし座のアルタイル、牛飼いの妻は、こと座のベガのようですが、星の並びも見てみましょう。

にぬふぁぶし

にぬふぁぶし（子方星）は、北極星のことで、多くの民話が残っていますが、母親思いのこんなお話があります。

* * * * *

昔、ある村に父親が早くに亡くなり、母親と暮らす男兄弟がいました。

家の暮らしは貧しく、三人で一生懸命働いていましたが、母親はとうとう過労で亡くなってしまいました。

残された兄弟二人で働きますが、お兄さんはすぐになまけて遊び始めてしまいます。弟は毎晩「お母さんに会いたい」と泣き暮らすようになりました。

するとある晩、空から一人のおばあがやってきて、「そんなに会いたければ、兄弟二人で、目の前の大川を船をこいで向こう岸に行ってごらん。お母さんが待っているよ」と教えてくれました。

弟は大喜びでお兄さんと一緒に船をこぎ始めました。ところがなかなか向こう岸にはとどきません。お兄さんは「あのおばあにだまされたんだ。お母さんが向こう岸で待っているなんてうそだ。もうこぐのはやめた、やめた」と船に寝そべってしまいました。

弟は「お兄さん、がんばってこごうよ」と声をかけながら、一人で一生懸命こぎますが、流れはどんどん早くなり、とうとう船は

大きな滝におし流されてきて、滝つぼに落ちてゆきます。

その時突然、空からあのおばあが現れて、落ちてゆく船から弟を抱きあげて北の空へと昇ってゆきました。

そしてにぬふぁぶしになり、母親思いの親孝行の手本の星として、輝いているのです。

* * * * *

石垣島天文台のむりかぶし望遠鏡で北極星をのぞくと、大小二つの星が並んでいます。お母さんに会うことができた弟と、親子二つの星が仲良く並んでいるようにも見えます。

北極星と伴星

129

星砂伝説

八重山諸島の竹富島には「星砂伝説」というこんな星の民話が残っています。

＊　＊　＊　＊　＊

父星と母星の間に、子供が生まれることになり、二人は天の神様にどこで産むのが良いのか相談をしました。

天の神様は「美しい竹富島の南の海が良いだろう」といわれました。そこで、父星と母星は、その海に降りてきて、たくさんの子星を産みました。

ところが、そのことを知らされてなかった海の神様はお怒りになって、大蛇をよこして子星たちを食べさせてしまいました。

かわいそうな子星たちの骨は、星砂になって、あいやる浜に打ちあげられました。

これを見た東美崎御嶽（あいみしゃしおん）の神司は、この子星たちの骨を父星と母星のいる星空に帰してあげようと思い、星砂をひろい集めて、香炉に入れお香を焚きました。

するとどうでしょう、子星たちが立ちのぼるお香の煙にのって星空へと帰ってゆくではありませんか。

今でも東美崎御嶽では、香炉に星砂を入れてお香を焚くことにしているそうです。

＊　＊　＊　＊　＊

こんな素敵なお話はどうして生まれたのだろうかと星空を眺めていると、島の美しい星空から生まれたことに気づきました。

北緯24度の竹富島では、春の天の川が南の水平線に横たわって見えます。南十字星やぱいがぶしなども見え、たくさんの子星たちの集まりのようです。

この天の川は、夏が近づくとだんだんと水平線から空にむかって立ち上がってゆきます。まるで、香炉のお香の煙が空に立ちのぼり、そして子星たちが星空に帰ってゆくように見えるではありませんか。

東美崎御嶽（あいみしゃしおん）

130

＊星砂で知られるかいじ浜は島の西側です。星砂は、サンゴの一種有孔虫バキュロジプシナの死骸、太陽の砂とよばれるのは、有孔虫カルカリナの死骸。

星のおもちゃ・星ころ

世界天文年2009の「アジアの星」ワークショップ（各国の星の神話、民話の研究会）では、日本からのおみやげになりました

　沖縄の郷土玩具として、おみやげ屋さんにならんでいるもので、良く知られているのは「はぶぐゎー」ですね。乾かしたアダン葉を帯状の紐にして、蛇の形に編んだもので、口から指をいれて尻尾を引っ張ると抜けなくなって、びっくりします。学生時代に竹富島で初めて見た時に、この素朴でいて、ちょっとスリルもあるこの玩具が気に入って、お土産に何本も買って帰ったことを今でも覚えています。

　そのアダン葉で作られた玩具に、「星ころ」があります。「南の島の星まつり」や天文台の公開日に、子供たちになにか工作で楽しんでもらおうと思ったところ、「星ころ」作りの提案

がありました。「はぶぐゎー」と同じように、昔ながらにアダン葉で作るのが趣もあって良いのですが、少し厚めの紙を細い短冊状に切ったもので簡単に作れます。最近は、黄色や白、青などの荷造りバンドで作っています。

　民芸店にいくと、アダン葉で作られた「星ころ」が紐でぶら下げられたり、竹ひごの先に差して飾られていますが、遊び方は、星の尖った部分を親指と中指で軽く挟んで、息を強く吹きかけて、くるくる回して楽しみます。星と遊ぶ郷土玩具まであるとは、さすが星の島ですね。

（右ページ資料提供　崎原毅〈南嶋民俗資料館〉、藤原睦）

星ころを作ろう

● **用意するもの** 道具：ハサミ、ホッチキス
厚紙や荷造りバンドで作った、材料となる短冊
（荷造りバンド（幅15mm）の場合、長さ110mm 3本、長さ100mm6本）

1
長さ110mmの短冊で
輪をつくる。つなぎ目
はホッチキスでとめる。

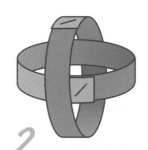

2
2枚を合わせる。

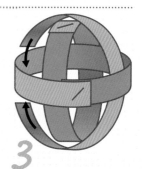

3
3枚目を矢印の方向で
合わせてとめる。

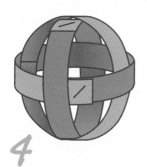

4
輪のできあがり。

5
長さ100mmの短冊6
枚をそれぞれ輪にする。

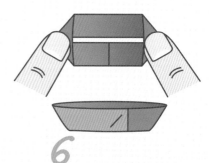

6
図のように折ってとん
がりをつくる。

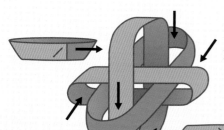

7
輪の中心に向けて、と
んがりを6枚差しこん
でできあがり。

装飾品としてもきれいですね！

参考文献

■ おもな参考文献、ＷＥＢページなど ■

・宮良當壯全集、沖縄タイムス社

・八重山古謡、喜舎場永珣、沖縄タイムス社

・八重山歴史、喜舎場永珣、図書刊行会

・岩崎卓爾一巻全集、伝統と現代社

・星見石雑考、黒島為一、八重山毎日新聞連載

・古歌謡のなかの星、黒島為一、八重山日報
　連載

・八重山のお嶽、牧野清、あーまん企画

・ばがー島・八重山の民話、竹原孫恭

・八重山昔ばなし、同セミナー再話作品集

・おもろさうし（上、下）、外間守善（校注）、
　岩波文庫

・イレズミの世界、山本芳美、河出書房新社

・南島針突紀行、市川重治、那覇出版

・星空の見方がわかる本、縣秀彦、Gakken

・宇宙の地図、観山正見、小久保英一郎、
　朝日新聞出版

・天の川が消える日、谷口義明、日本評論社

・時と暦、青木信仰、UP選書

・地球外文明の思想史、横尾広光、恒星社厚
　生閣

・星の事典、鈴木俊太郎、恒星社厚生閣

・日本星名辞典、北尾浩一、原書房

・隕石の見かた・調べかたがわかる本、藤
　井旭、誠文堂新光社

・こども図鑑・太陽の観察、藤井旭、星の手
　帖社

・こども図鑑・月の観察、藤井旭、星の手
　帖社

・月の名前、高橋順子、佐藤秀明、デコ

・本当の夜をさがして、ポール・ボガード、
　上原直子（訳）、白揚社

・星の王子さま、サン＝テグジュペリ、倉橋
　由美子（訳）、文春文庫

・星のお王子さまの本、宝島社

・新編・銀河鉄道の夜、宮沢賢治、新潮文庫

・宇宙をうたう、海部宣男、中公新書

・アジアの星物語、海部宣男（監修）、万葉舎

・八重山の星空、続・八重山の星空、竹本真
　雄、私家版

・八重山文化論集、八重山文化研究会

・宇宙、沖縄県立美術館・博物館

・八重山博物館紀要、石垣市教育委員会

・竹富町誌、竹富町教育委員会

・多良間村史、同編集委員会、多良間村

・ステラナビゲータ、アストロアーツ社

・星空年鑑（年刊）、アストロアーツ社

・So-TEN-Ken（季刊）、株式会社ビクセン

・㈱ Le Petit Prince 星の王子さま

・国立天文台（歴計算室、石垣島天文台、野
　辺山宇宙電波観測所）

・NASA/JPL/NRAO/ESO、他

このほか、多くの方々から資料やお話を
頂きました。お一人お一人のお名前を挙
げることができませんでしたが、厚くお
礼申し上げます。

あとがき

　沖縄は学生の頃、日本の一番北と南の端に出かけてみようと思い立ち、パスポートとドルを持って、やってきたことがありますが、あまりの遠さに、社会人になったらもう来ることはないだろうと思いました。

　それが、運命のいたずらで東京天文台（現、国立天文台）に職を得て、最後には、石垣島に電波望遠鏡や天文台を建設することになり、今では島人として暮らすまでになりました。

　「二度目の沖縄」では、「沖縄の美ら星」に魅了され、島の方、島を訪れる方にも、もっと知って頂きたいと思うようになりました。

　石垣島天文台での星空案内では、最新の天文情報だけでなく、沖縄の島々に伝わる星のお話も紹介し、海洋文化館のプラネタリウム番組も監修させて頂きました。また、「星空を観光資源にしよう」と、観光協会などの星空案内人の養成講座にもお招き頂きました。

　そこで紹介させて頂いた星のお話をまとめたのが本書です。

　沖縄の星に関しては、まだまだ多くの星名や伝承話、古謡などが残っています。限られたページ数の中で、書けなかったこと、十分に紹介できなかったこともたくさんあります。

　まだまだ調べたいこともあり、本書をお読みになり、「沖縄の美ら星」に関心をもたれた方がおられれば、ご一緒にさらに内容を充実してゆきたいと思っています。

　本書のお話を頂いてだいぶになります。琉球プロジェクトの仲村渠理さん、新星出版の城間毅さん、星の民話にイラストを添えて頂いた安室二三雄さんには、やっとお約束が果たせることになりました。また、新星出版で制作を引き継ぎ、完成までの間、レイアウトや校正を担当して頂いた新城さゆりさんには、大変お世話になりました。

　末尾になりましたが、お世話になったみなさまに深く感謝いたします。

2020年6月23日　沖縄県慰霊の日
宮地　竹史

宮地竹史

1948年	高知県生、石垣島在住
1968年	電気通信大学短期大学部在学中に国立天文台の前身、東京大学東京天文台に入台。野辺山宇宙電波観測所、国際ＶＬＢＩ、宇宙電波望遠鏡「はるか」、ＶＥＲＡ計画など電波天文学分野のプロジェクトに従事。
2002年	石垣島の「南の島の星まつり」など、星空関連行事を企画
2006年	石垣島天文台完成、副所長。
2013年	所長。
2016年	国立天文台退職。
2018年	沖縄県観光功労者受賞（表彰）。

- 美ら星ガイド・アドバイザー
  （星空案内、星空保護、講習会・講演会、星空の撮影・写真展・星空関連イベントの企画・立案など）
- 国立天文台石垣島天文台　前所長
- 石垣市観光交流協会　石垣島宣伝部長
- 八重山文化研究会　会員
- 竹富町観光協会「星空案内人講座」講師
- 国頭村「星空の魅力活用観光コンテンツ開発委員会」委員
- 高知県　観光特使
- 高知県立芸西天文学習館　講師

本書の企画・プロデュース　仲村渠　理
編集　城間　毅
制作　新城さゆり
星の民話イラスト　安室二三雄

四季の星空ガイド 沖縄の美ら星

令和2年 8月10日　第1刷発行
令和3年 8月18日　第2刷発行

著　者　　宮地竹史

発行者　　仲村渠　理

発行所　　琉球プロジェクト
　　　　　〒900-0021
　　　　　沖縄県那覇市泉崎1-10-3
　　　　　琉球新報社ビル6Ｆ
　　　　　電話(098)868-1141

印　刷　　新星出版株式会社